サイバー戦争の今

山田敏弘
Toshihiro Yamada

ベスト新書
607

まえがき

「日本企業を攻撃してくれればカネを払う」。

インターネットの奥深くにあるダークウェブ（闇ウェブ、第1章参照）でこんなメッセージが掲載されたのは、2019年7月18日のことだ。

著者の取材に応じたある欧米の情報機関関係者によれば、彼らがチェックしている闇サイトでは2019年に入ってから特に、韓国人と思われるハッカーたちが活動を活性化させているという。そこで検知された数多くのメッセージの中に、冒頭の日本企業への攻撃を依頼する韓国人のメッセージが書き込まれていたのである。

これまでも日韓の間には慰安婦問題などで対立はあったが、最近になって特に悪化するきっかけとなったのは、2018年10月の徴用工賠償問題だった。同年11月には文在寅政権が一方的に、慰安婦問題日韓合意を破棄することになった。その翌月には、韓国軍が海上自衛隊のP－1哨戒機に対して火器管制レーダーを照射。2019年に日本が韓国に対する輸出規制を強化すると、韓国側は日韓の軍事情報包括保護協定（GSOMIA）を破棄すると揺さぶりをかけた（後に失効回避）。戦後最悪と言われる関係に陥っている。

そもそも韓国は、以前からサイバー空間で日本に対して「怪しい」動きを見せていた。韓国製の機器から異常なパケット（通信）がユーザーの知らない間に送られていると指摘する専門家もいるし、韓国企業のメッセージアプリなどについても、日本の公安当局者に言わせれば、「韓国の情報機関である国家情報院はユーザーのメッセージを見放題だ」という。

そのような背景もあり、最近では特に両国間の関係悪化で、韓国が日本に対してサイバー攻撃を激化させていると聞いていた。一例を挙げれば、レーダーなどを扱う日本の「軍事」企業などが、韓国からサイバー攻撃を受けていると関係者らが取材で認めている。企業としてそれを公表すると悪評が広がる恐れがあるため、対外的にその事実が漏れないようにしているとも。

それが、ダークウェブでも、韓国人ハッカーたちが日本を標的にすべく動いているというのだ。前出の情報関係者はダークウェブで、「日本のろくでなしに思い知らせてやる」「日本製品を買ってカネを与えるなんて、韓国人はなんてバカなんだ」「韓国政府は目を覚まして、攻撃せよ」といった発言が飛び交っているのを、画像などを示して説明した。

冒頭の、日本企業への攻撃を依頼するというポストの発信者は、「韓国陸軍の関係者」の可能性が非常に高いことがわかったという。このポストにはロシア系ハッカーが反応した。「攻撃相手のリストと、あなたの携帯番号、3・4ビットコイン(1ビットコイン＝2019年11月20日時点で約87万円)を支払え」。

それに対して韓国人ハッカーが「電子メールアドレスを教えてくれ」と質問してやり取りは終わる。実際に日本の企業に攻撃が起きたのだろうか。すでに述べたとおり、日本企業は受けた攻撃を公表しない傾向が強いため、その顛末は見えてこない。個人情報などが漏洩するといった被害でも出ないと、内輪で対処して終わってしまうからだ。

ただそれでは、他の企業なども一向に対策措置を取れなくなる。日本がどんな攻撃を受けているのかを把握することなく、将来的な防衛や対策には乗り出せない。

今回発覚した韓国陸軍関係者のメールのやりとりでは、特に気になるポイントがある。

3・4ビットコインのような大金を支払ってまで日本企業を攻撃しようとするのは、韓国軍の個人による依頼とは考えにくいということだ。つまり、背後にはより大きな何者かが存在している可能性がある。前出の情報関係者は言う。「韓国の政府や軍、政府に近い企業。そのどれかが背後にいると考えていいでしょう」。

今、インターネットなどネットワーク化されたデジタル世界、すなわちサイバー空間では、こうした工作が至る所で行われている。ビジネスでは日韓関係悪化に伴う冒頭のような企業を狙ったサイバー攻撃が日常的に行われ、一方で安全保障の面では他国への選挙介入や核施設へのサイバー工作など、各国が水面下で「サイバー戦争」を繰り広げているのである。物理的な軍事衝突が起きるような現場でも、サイバー攻撃なくして戦闘で勝利はないという時代になっている。紛争がない平時でも、世界各国はサイバー攻撃で、有事に向けた準備を活発に行う。国家間の交渉なども優位に運べるよう、サイバー攻撃でスパイ工作をするのも常識だ。

本著では、そうしたサイバー戦争の実態を関係者などへの取材から浮き彫りにし、国際情勢や外交、社会問題などとの関連性を踏まえて、「サイバー空間」という人類の歴史におけるまったく新しい領域が、世界中の人々にどんな影響を与えるのかについて読み解いていく。

もはやサイバー空間では、犯罪も、戦争も、スパイ工作も、手段はそう変わらなくなっている。パソコンやネットワークに侵入し、内部のシステムを不正に操作する。銀行口座のパスワードを盗むことから、セレブのプライベート写真を盗んだり、企業のパソコンの情報をほとんど消去することも、工場で作業を不正操作して破壊をもたらすことも、停電も、コンピューターで実行できてしまう。

世界では、これからますますデジタル化やネットワーク化、ＡＩによるオートメーション（自動）化が進む。先進国である日本も、そんな世界を先導していくことになる。だが、日本はそうした世界に向かう準備はできているのだろうか。世界の現実を知った上で、日本の現状とこれから進むべき道を探ってみたいとも思う。

人類がもう切り離すことができなくなったサイバー領域で繰り広げられているサイバー戦争の実態が、本著を読めば余すことなく理解してもらえるはずである。

山田敏弘

サイバー戦争の今　目次

第3章 アメリカのサイバー戦略
世界最強軍団の実態

第4章 世界を襲う中国ハッカー軍団
すべてを盗み尽くす軍人ハッカーたち

第5章 悪の枢軸
ならず者たちのサイバー空間

第8章 取り残される日本

日本にある足かせと「サイバーの傘」

第1章

イントロダクション

サイバー攻撃とは何か？

東京オリンピックを前に活発化する
スピアフィッシング・メールの無差別ばらまき

2018年の冬、東京都の中心部にあるオフィスの会議室で、筆者は欧米の諜報機関でサイバースパイ（工作員）を指揮していた人物と向き合っていた。

自身も元ハッカーでサイバースパイでもあったこの人物は、ノートパソコンで証拠画像などを見せながら、日本が受けているサイバー攻撃について次々と事例を挙げた。例えばこんなケースだ。

2018年9月から、日本人17万4000人ほどに、ある奇妙な電子メールが届いた。メールの件名には「東京2020ゲーム無料チケットとギフト」と記入されており、メールの本文にはこんな文言が書かれていた。

「東京ゲーム愛好家
私は、以下のリンクを使用して登録することで、家族や友人に無料のチケットを提供することを夢見ています。
http://〜（実在するホームページのリンク）
あなたの個人情報と銀行を提供することにより、＄600の賞を獲得する機会があります（原文まま）」

日本人が見れば「ん？」となるような、あまりにも下手な日本語の文面だった。

このメールは、スポーツ関連の商品を買っていたりスポーツイベントに参加するなど、とにかくスポーツに興味がある個人や、メディアやスポーツ関連企業とつながりのある人たちに送りつけられた。

私たちの日常生活にスマートフォンやパソコンなどコンピューター機器が必要不可欠になっている昨今、サイバー攻撃やサイバーセキュリティという言葉はしょっちゅうニュースなどで聞かれるようになっている。これまで以上にサイバーセキュリティの重要性が語られる現在に、こんなお粗末な日本語の怪しいメールに書かれたリンクをクリックしてしまう人がいるとは思わないかもしれない。だが蓋を開けてみると、約17万4000人のうち、実に9258人もの人たちがリンクをクリックしてしまったのである。意味がわからないから、好奇心をくすぐられてクリックしてしまったのだろうか。まんまとこのサイバー攻撃の餌食になり、多くの人たちが自覚のないままに事実上パソコンを乗っ取られる事態に発展しているという。

これは「スピアフィッシング・メール」と呼ばれるサイバー攻撃だ。この攻撃は、特定の個人や企業などに偽のメールを送り、リンクなどをクリックさせることでマルウェア（悪意ある不正プログラム）を感染させ、パスワードや個人情報などを詐取する手口である。その結果、知らないうちにパソコンが乗っ取られてしまうのだ。

乗っ取られたパソコンは、新たな攻撃や犯罪行為の踏み台にされてしまうケースが少なくない。つまり、このメールに引っかかった被害者のパソコンが、別の攻撃の加害者となってしまう可能性があるのだ。この手のメール攻撃は、サイバー犯罪のみならず、政府系サイバー攻撃者（ハッカー）による工作にも広く使われている。

欧米の元サイバースパイによれば、「先述の東京五輪に絡めたこのメールによる工作は、中国政府系ハッカーによるサイバー攻撃キャンペーンの一環だったことを突き止めている」という。彼らがこのキャンペーンで狙っている標的は、2020年に開催される東京オリンピック・パラリンピックであり、「その目的は、日本の評判にダメージを与えることに絞られています。これまで中国はサイバー攻撃で、企業や研究機関などからは知的財産を、政府や公共機関からは機密情報などを奪おうとしてきました。だが五輪に向けての狙いは、レピュテイション・ダメージ(評判の失墜)に絞られています」と、この人物は断言する。

会議室でこの元スパイは、淡々と攻撃キャンペーンの実態を披露した。非常にフレンドリーな口調のこの人物は、「ヤマダサン」と説明の中で何度もこちらに呼びかけながら、マシンガンのように話を続けた。

次々と日本に対するサイバー攻撃の実態が語られる中で、筆者は暗澹《あんたん》たる気持ちになっていた。というのも、こうした攻撃について、日本では一切報じられていないからだ。にもかかわらず、目の前にいる欧米の元サイバースパイは、日本が受けている被害について詳細に語っているのだ。

彼の言う「レピュテイション・ダメージ」とはどういう意味なのか。筆者が問うと、彼はこう答えた。

「まず、中国は2008年に開催した北京五輪よりも、ライバル国である日本の東京五輪が評価されることは望ましくないと考えています。もちろん、攻撃では金融機関やクレジットカード会社などが攻撃にさらされ、経済的な損失が出ることもあり得ますが、中国政府系ハッカーの真の目的は、金銭よりもターゲット企業などの信用を貶《おとし》めることです。なぜなら、彼らは政府などに雇われてカネで動いているため、金銭的には困っていないからです。

スポンサー企業などが攻撃によって被害を露呈すれば、ほかのスポンサーや参加者に『恐怖心』を与えることができます。そうなれば、サービスや実験的な試みなども控えめにならざるを得ません。長い目で見れば、五輪後も、外国の多国籍企業などがセキュリティの弱い日本への投資や進出を躊躇してしまう可能性もあるのです。そういうイメージが広がれば、日本に対抗して中国はビジネス面でも有利になると考えている。過去を振り返ると、五輪などの大会を狙ったサイバー攻撃では、1年も2年も前から攻撃の準備は始まるものなのです」。

そして、この元サイバースパイは、また別のケースについて話を始めた。

冒頭のスピアフィッシング・メールで9000人以上が被害に遭ってから10日後、再び「無料チケットオリンピック」というタイトルの怪しいメールが、今度は日本人46万人に対して送りつけられた。メールの内容は、やはりオリンピックに絡んだものだった。

「東京２０２０夏季オリンピック（１９５００円）への無料航空券をおとどけします

東京２０２０ゲームに興味を持っていただきありがとうございます

詳細を登録するには、下のリンクをクリックしてください

www~（ウェブサイトのリンク）

さらに、オリンピック商品を購入できる６８０００円のギフトバウチャーがプレゼントされます（原文まま）」

前回よりも日本語が流暢なのがわかる。このメールは、46万人中3万人以上がクリックして、マルウェアに感染したことが判明している。

ここまでの例からわかる通り、20年の東京五輪を狙っているとされるサイバー攻撃はすでに始まっているのである。

このようなサイバー攻撃は、日々世界中で発生している。被害が表沙汰になるものだ

けでなく、表面化しないケースや、被害者が攻撃に気づいていないこともある。国家なら安全保障の問題で攻撃被害を明らかにしない場合が多いし、民間企業なら株主や取引先を意識して、攻撃を内々で処理してしまうという由々しき現実もある。

ただはっきりと言えることは、世界中でありとあらゆるサイバー攻撃が起きており、間違いなく、数多くの被害が出ているということだ。機密情報の漏洩や、知的財産を盗むスパイ工作、金銭目的の大規模犯罪、他国への選挙介入工作、インフラ施設や軍事関連施設への破壊工作など、枚挙にいとまがない。

そして今、サイバー攻撃は、国家間の摩擦を生み、戦争の形を変え、国の政策にも多大なる影響を与えるまでの大きな課題になっている。

どこからでも核攻撃できるように整備されたインターネット

筆者が初めて国際情報誌ニューズウィークの日本版でサイバー戦争の特集記事を執筆したのは、2011年のことだった。当時、サイバー攻撃と言ってもピンとこない人が多数だったが、今日までにサイバー攻撃という事象に対する理解度は、特に若い世代を中心に格段に上がっている。ただその一方で、企業や官公庁などで役職に就き、責任者になっていたり決定権を持つような人たちの中には、まだまだ認識が低いと言わざるを得ない人たちも少なくない。もちろん、若い世代からもよくわからないという声を聞くこともある。

そもそも、サイバー空間やサイバー攻撃、サイバーセキュリティとはいったいどういった定義のものなのか。

英オックスフォード英語辞典によれば、サイバー〔Cyber〕とは、「コンピューターや情報技術、仮想現実の文化の特徴または、それらに関係すること」と定義されている。つまり、コンピューターで扱われる情報が行き交って作り出す情報網(ネットワーク)や、そこから生まれる社会やコミュニティ、文化などが広がっている世界を「サイバー空間」と呼ぶ。

ではサイバー空間という言葉はいつ生まれたのか。この言葉を作ったのは、アメリカ人ＳＦ作家のウィリアム・ギブスンだ。彼は１９８２年に発表した小説でサイバースペースという言葉を初めて用い、人々によって合意された「幻想世界」だと説明した。

サイバー空間には国境がない。入国の際のパスポートもいらなければ、国際電話のような多額の通話料も必要ない。瞬時に、日本から2万キロ近く離れたブラジルのネットワークにも簡単にアクセスできてしまう。基本的に、データの通信回線さえあれば、誰でも利用できる公共の空間だ。

このサイバー空間で、私たちが日常的に使っている通信網（ネットワーク）がインターネットである。

インターネットとは、もともと、1962年8月、米東海岸にあるマサチューセッツ工科大学（MIT）のJ・C・R・リックライダーが思いついた「ギャラクティック・ネットワーク」というコンセプトから始まった。彼は、米国防総省の研究機関、DARPA（米国防高等研究計画局）でコンピューター研究部門の初代リーダーとなり、仲間の学者などと、そのインターネット構想を前進させるべく研究を進めた。

また同時期、米西海岸にあるカリフォルニア州が拠点の米シンクタンク、ランド研究所のポール・バランが、核兵器の時代にコンピューターネットワークを作って指揮系統を分散させるべきだという趣旨の提案を行った。つまり、ひとつのコンピューターが攻撃で破壊されても、他のコンピューターから指揮を続けられるようネットワーク化して、リスクを回避すべきだと主張したのだ。

このように西海岸と東海岸で別々の研究者が、同時期に同様のコンセプトに行き着いたのはまったくの偶然だったという。その後、大学などのコンピューターが接続され、ARPANET(米高等研究計画局ネットワーク)が始まった。これこそが、インターネットの誕生だった。米政府や軍も、インターネットなどネットワークを活用するようになった。

その後、大学や民間企業、個人などが相互接続するにつれ、インターネットはますます拡大し、便利なものになった。今では、スマートフォンやタブレット、ノートパソコンが爆発的に普及し、日常生活または経済活動になくてはならないものとなっている。人類のインターネットなどへの依存度も非常に強い。

ただ便利なものにはリスクが付いてくる。どんどんインターネットにつながるものが増えていくにつれ、悪意のある者が他人のパソコンやネットワークに侵入し、私たちの知らぬ間に、保存されているプライバシーや財産を盗んでいくという事態も増えていった。

もっとも、中国だろうがブラジルだろうが、アフリカの聞いたこともないような地域からだろうが、遠隔操作で情報を瞬時に出し入れできるようになると、それを悪用しようとする輩が登場するのは当然のことだろう。諜報機関のスパイ工作から産業スパイ、妨害や破壊工作まで、リスクはどんどん広がっていった。そうした工作は、今では誰でも耳にしたことがある「サイバー攻撃」と呼ばれ、人類はサイバー攻撃から身を守るために、サイバーセキュリティ（安全対策）が不可欠になった。

京アニ襲撃犯も使っていたダークウェブ「トーア」

サイバー攻撃とひと口に言っても、その手口は様々ある。だが「攻撃」という視点から見ると、大きく分けて3つの種類に分けられる。

まずはサイバー犯罪。これは、金銭や知的財産などを盗むための経済的動機で行われるサイバー攻撃を指す。強盗や産業スパイなどがサイバー攻撃という新しい手段を手にしたことで、遠隔操作で、これまでよりも安全に犯罪を行えるようになっている。

2つ目は、国家の安全保障に関わるサイバー攻撃で、スパイ工作やインフラ施設への破壊・妨害工作、戦場や紛争などの際の友軍のサポートに使われる攻撃のことを言う。国家間で「サイバー戦争」に発展するケースもあるし、安全保障に関わる他国の重要施設などを破壊するといった事件も起きている。第7章で解説するスパイ活動のあり方も、ハッキングなどが重要視されるようになり、従来の工作から一変している。

3つ目は、ハクティビズムと呼ばれるもの。これは、ハクティビスト(ハッカーとアクティビスト〔活動家〕を足した言葉)が行う攻撃で、政治的な主義主張を訴えるために行われる。日本ではかつて、政府関係者が東京の靖国神社を参拝すると、中央省庁が激しいサイバー攻撃に見舞われていた。中国などから来るこれらの攻撃は、典型的なハクティビズムである。

では、こうしたサイバー攻撃を仕掛けるのは、どんな人たちなのか。「攻撃実行者」を分析すると、サイバー攻撃者は次の3つの層に分けられる。

一番上の層にいるのは、国家系のハッカー。政府が安全保障のために実施する対外工作としてサイバー攻撃を行う人たちである。米国やロシア、中国などが世界でも最も活発にサイバー工作を繰り広げている。基本的に、この攻撃者たちは無視してもいい。なぜなら、狙われたら最後、個人ではどんな対策も無意味だからだ。暴論に聞こえるかもしれないが、それほど国家系ハッカーの能力は高い。

一番下の層にいるのは、技術力の低い個人ハッカーたち。この層には、コソ泥と言ってもいい低レベルの犯罪者たちがおり、取るに足らない攻撃者たちだと見られている。というのも、この層のハッカーによる攻撃は、市販のセキュリティソフトをインストールしておけば、ほぼ防御できるようなものだからだ。つまり、きちんと基本的な安全対策さえ施しておけば、この層のハッカーらも、無視をしてもいい相手ということになる。

最も厄介なのは、真ん中の層だ。この層は、組織的に動く犯罪者たちが含まれる。マフィアのように集団で動いている人たちが多く、それに協力している数多くの個人ハッカーなどが蠢《うごめ》いている。能力の高いハッカーなどを集め、組織立って主に経済的な目的で、世界中で犯罪行為を繰り広げている。しかも、一番上の層である国家とも深く関係を持つ者も多く、一番下のコソ泥たちも時には動員する。

この中層にいるハッカーたちは、ロシアや中国に数多くいる。サイバー攻撃に使う攻撃ツール（悪意あるプログラムなど）を共有したり、闇サイトで販売したり、レンタルすることもある。

　こうしたハッカーたちが情報を交換・共有している場所は、普通のインターネットではアクセスできないダークウェブ（闇ウェブ）と呼ばれるネットワークだ。このダークウェブとは匿名性が高いインターネット空間のこと。昨今ニュースを賑わしているようなサイバー攻撃事件には、ほとんどのケースでこのダークウェブが関わってくる。サイバー犯罪などを語る上で決して無視できない存在だ。

　ただし、ダークウェブに行こうとしても、一般ユーザーが普段使うグーグルやヤフーといった検索エンジンではたどり着くことができない。その闇ネットワークにアクセスするには、「Ｔｏｒ（トーアと発音する）」ブラウザといった特定のソフトウェアが必要になるが、そうしたソフトは誰でも簡単に無料でダウンロードすることができる。トーア以外では、「Ｉ２Ｐ」といったサービスもある。

　そもそも、通常のインターネットに接続されているパソコンには、すべてにＩＰアドレスと呼ばれる番号（住所のようなもの）が振り分けられている。インターネットのサイト側は、どのＩＰアドレスがサイトに接続してきているのか、またどのＩＰアドレスから電子メールが送られたかなどが、調べればわかる仕組みになっている。通常、ユーザーがウェブサイトに接続すると、サイト側にはＩＰアドレスのログ（記録）が残るようになっているからだ。

だがトーアのブラウザを経由すれば、誰がアクセスしているのかがわからなくなる。どういうことかと言うと、トーアのブラウザは意図的に世界中に広がるいくつもの接続先（パソコン）を暗号化しながら数珠つなぎに経由する。そして最後（出口）のパソコンから一般のインターネットサイトに接続し、実際とは違うＩＰアドレスから接続していることにできるのだ。つまり、本当は誰が接続しているのかはわからない。トーアのブラウザは、これをすべて自動的にやってくれる。

こうした特徴により、トーアには2通りの使い方がある。ひとつは、トーアのブラウザを使って匿名のまま、私たちが普段使うインターネットのサイトなどに接続する方法だ。そうすれば、すでに述べた通り、誰がサイトにアクセスしているのかがわからなくなる。

もうひとつの使い方は、トーアのブラウザの中だけに存在する闇サイトを利用する方法だ。この闇（匿名）の空間では、誰がどこにアクセスしているかはもちろんわからないし、誰がサイトを開設しているのかもわからない。

実際にトーアを使ってみると、闇サイトには私たちが慣れ親しんでいるのとは別のネットワーク、つまり闇のインターネット世界が広がっていることがわかる。匿名性が確保されていることを悪用し、違法な取引が横行しているのである。麻薬や流出したクレジットカード番号、偽造パスポートの売買、さらには児童ポルノの提供なども行われている。地下空間でしか扱えない「商品」を取り揃えた様々なオンラインショップも存在しており、いわばアマゾンや楽天ショップの違法版といったところだ。

このトーアという匿名サービスは、実は日本に暮らす私たちの生活にもすでに黒い影を落としている。2012年には他人のパソコンを遠隔操作して、航空機の爆破予告や殺人予告などを行った遠隔操作ウイルス事件が発生している。トーアが使われたために犯人を特定できず、誤認逮捕まで起きた事件だった。

2018年1月には、日本の仮想通貨交換業者コインチェックから580億円分の仮想通貨が盗まれた事件が発生したが、犯人は盗んだ仮想通貨をトーアのブラウザでアクセスする闇ウェブで換金に成功している。

さらに2019年7月、京都市伏見区のアニメ制作会社、京都アニメーションの第1

スタジオに当時41歳の男性がガソリンを撒《ま》いて火を放った事件は記憶に新しい。36人が死亡、34人が負傷するという大惨事になった。この事件では、その前年からスタジオ宛に殺人予告のような脅迫メールが大量に届いており、そのメールの送信にトーアが使われていたことが判明している。送信者は通信元の特定を困難にする目的でトーアを使ったと考えていい。

また、愛知県で2019年8月から開催された国際芸術祭の「あいちトリエンナーレ2019」では、芸術祭の企画展「表現の不自由展・その後」の展示品が賛否を呼び、中止に追い込まれる事態になった。慰安婦像や天皇を中傷するような内容の展示があったことがその主な理由だったが、トリエンナーレ事務局や教育委員会に対して、職員を射殺するといったメールや、学校の爆破を予告するメールなど750通以上が送信された。そのメールの送信でも、トーアが使われていたという。もはや身近になりつつあると言ってもいいかもしれない。

他にもこんなケースもあった。2018年2月、ダークウェブで日本人の電子メールとパスワードが、データ量にして2・6ギガバイトも売りに出されていたことが確認されている。このデータ量は、2億アカウント分にもなるという。しかもサンプルとして3000人分の電子メールアドレスとパスワードがダークウェブで公開されており、筆者が確認したそのリストには、日本の有名大手企業や、地方の中小企業などのアドレスがずらりと並んでいた。

日本の捜査当局はこのケースについて把握しているが、現在までにメディアなどで公表はされていない。そして調査の結果、このデータをダークウェブで売り出したのはウクライナ在住のハッカーであり、結局、中国人がそのデータを購入したという。購入したメールの情報を使い、ハッカーたちは犯罪から安全保障まで、様々なサイバー攻撃を繰り広げることになる。

2017年に発生したランサムウェア（身代金要求型不正プログラム）の「WannaCry（ワナクライ）」は、日本でも大きな話題になった。ランサムウェアについてはP.45、P.61で詳しく触れるが、ワナクライの攻撃では、世界150カ国で30万台以上のコンピューターが被害に遭い、米英政府はこの攻撃が北朝鮮による犯行だと断言している。実はこの攻撃は、被害が出る2カ月ほど前の3月の時点で、ダークウェブなどでその攻撃の兆候が察知されていた。脅威インテリジェンス（サイバー攻撃の兆候を監視するセキュリティ分野）の専門家によって、この攻撃で使われたハッキングのツールまでも特定されていたのである。

このように、とにかくサイバー攻撃にはダークウェブが絡んでいる場合が多い。そして今、世界中の悪意を持ったハッカーたちは、トーアなどのダークウェブのさらに奥深くにあるフォーラム（掲示板）という閉鎖されたコミュニティに巣くい、情報を交換したり、攻撃の協力者を募ったりしているのだ。サイバー攻撃を理解するのには、ダークウェブの存在を頭に置いておく必要がある。

そもそもトーアという技術の開発が始まったのは１９９５年のことだ。ワシントンＤＣにある米海軍研究試験所（ＮＲＬ）が、インターネットなどを使った諜報活動や捜査などを秘匿する目的で研究開発を進めた。

その技術はその後にトーアとなり、非営利団体のプロジェクトとして米軍の研究所から民間に引き継がれた。匿名の通信を確保するトーアは米政府関係者だけでなく、中国やイランなど強権的な国家で検閲をかいくぐるために使われたり、独裁国家に暮らす活動家らが当局の監視を逃れてコミュニケーションをとったり、情報収集をするのに重宝

トーア本部が入居していたマサチューセッツ州ケンブリッジ市のビル／筆者撮影

されてきた。中東の民主化運動「アラブの春」でも、民主活動家たちを裏で支えたのは、トーアなどの匿名ネットワークだった。

筆者は以前、トーアの本部を訪れたことがある。当時、米マサチューセッツ州のケンブリッジ市に事務所を置いていたトーアは、マサチューセッツ工科大学（ＭＩＴ）とハーバード大学のちょうど中間点に位置し、大通りから一本入った地味な建物に入っていた。女性の権利向上を訴える組織、ＹＷＣＡ（キリスト教女子青年会）の支部のビルに間借りしていた。

私が訪問した当時は、常勤のスタッフは2人のみだった。２０１６年に組織変更が行われた後はメンバーが急増したようだが、運営は個人からの寄付や、グーグルといった大手企業、米国務省などの資金提供で成り立っている。現在も、その高い匿名性を維持するためにソフトウェアの改良が続けられている。あくまでインターネットにおける通信の自由を確保することに主眼が置かれており、決して犯罪者を手助けするために存在しているのではない。

それがいつの間にか、サイバー犯罪や政府系ハッカーなどが巣くう闇のスペースとなってしまっている。多くのサイバー攻撃が、そこから始まっていると言っていい。

予想外の方向に動く「ブラック・スワン理論」

ここまで、サイバー空間の基本的な情報を説明してきた。サイバー空間の定義から、サイバー攻撃の種類、攻撃者であるハッカーの層、そしてハッカーらが蠢くダークウェブの存在までを把握すれば、今後、サイバー攻撃のニュースなどがぐっと理解しやすくなるはずだ。さらに、この先を読み進めていく上で、内容も頭に入りやすくなるだろう。

本著では、日本で発生しているサイバー攻撃だけでなく、日本ではあまり報じられない世界中で起きている数多くのサイバー攻撃の実態に触れる。日本の同盟国である米国の事情や、日米関係におけるサイバー戦略の位置付け、さらにサイバー空間においても日米欧などと価値観の相違が浮き彫りになっている中国やロシアのサイバー工作の実態、および北朝鮮やイランなど「ならず者」と呼ばれた国家によるサイバー攻撃の現実などにも、関係者への取材によって切り込んでいる。

こうした話は日本人である私たちにとっても対岸の火事では済まされない。国境のないサイバー空間では、国外で起きている攻撃も、すぐそばにある身近な脅威だと言っていいからだ。

その上で、生き馬の目を抜く国々がひしめき合うサイバー空間で、日本は攻撃への対策や準備ができているのかについて迫っていく。憲法９条や集団的自衛権の問題にもつながるサイバー攻撃について、日本では十分に議論が進められているのだろうか。さらに、日本は今後、サイバー空間でどんな戦略を目指すべきなのか。そうしたイシューにも踏み込んでいく。

サイバー空間には「ブラック・スワン理論」が当てはまる。

ブラック・スワン理論とは、自然発生的に、または人間の手によって生み出される現象や出来事が、誰も予想し得なかった方向に世界を変えてしまうことをいう。

もともとこの言葉は、昔、存在しないと思われていた黒い白鳥が発見されたことからきている。例えば大規模な金融パニックや感染病がその好例だと言えるし、アドルフ・ヒトラーの登場や、インターネットという技術が出現し、当初では思いもよらなかった世界をもたらしている現実も、この理論に当てはまる。

このブラック・スワン理論は、興隆するサイバー領域を語る上で避けることはできないものである。現在ほとんどの人が、なんとなくサイバー攻撃がコンピューターなどを破壊すると知っているが、その実態はよく知らないし、実際に起きるという実感はない。だが現実には、サイバー攻撃が国家を大規模な混乱に陥れ、大きな人的被害を生むことも可能となっている。事実、サイバー攻撃に使われる、いわゆる「サイバー兵器」は、日露戦争で初めて使用されたマシンガンや、第一次大戦で使われ始めた戦闘機、そして第二次大戦で開発された核兵器と同じような意味合いを持つと考えられている。そしてそのインパクトは、国際政治や軍事的な均衡ばかりでなく、歴史そのものを変化させてしまう可能性も孕んでいるのである。

サイバー空間にはブラック・スワン理論を実現しかねない要素が溢れている。本著を読み終えるまでには、その意味がわかってもらえるはずである。

サイバーセキュリティや国際情勢に明るい人たちだけでなく、あまり馴染みのない人たちにも、サイバー攻撃の実態を感じ取っていただくことが、筆者の目指すところである。本著では、国内外で議論されている犯罪や安全保障にわたるサイバー脅威、サイバー空間にまつわる国家的政策や戦争論など幅広く議論しており、これを読めばサイバーセキュリティの何たるかを理解できるはずだ。

私たちが現在直面しているサイバー脅威とは、一体どんなものなのか。次章ではまず、日本のみならず、世界ではどんな攻撃が起きているのか、その「現在地」を見ていきたい。

第 2 章

2019年サイバー問題

サイバーセキュリティの現在地

イランの核施設にマルウェアを仕込み遠隔操作で破壊してみせた

サイバーセキュリティの専門家たちに、実際に起きた世界で最も有名なサイバー攻撃事案と言えば何かと問えば、おそらくほとんどが2010年に発覚したイランのナタンズ核燃料施設を破壊した「オリンピック・ゲームス作戦」だと答えるだろう。

これは2009年、米国が巧妙なサイバー攻撃で、イランの厳重な核施設を秘密裏に爆破した作戦だ。米国は前代未聞と言われる複雑なマルウェア（悪意ある不正プログラム）を作成して核施設をサイバー攻撃で破壊、イランの核開発を遅らせることに成功したのである。

サイバーセキュリティと安全保障について詳しく迫った拙著『ゼロデイ 米中露サイバー戦争が世界を破壊する』（文藝春秋）でも触れたが、「オリンピック・ゲームス作戦」は、「スタックスネット」と呼ばれるマルウェアが使われたことから、通称「スタックスネット」と呼ばれている。この作戦は、米国の情報機関であるNSA（米国家安全保障局）が、イスラエル軍に属するサイバー部門である8200部隊の協力を得て、実施したものだった。さらに米国のCIA（中央情報局）やイスラエルのモサド（イスラエル諜報特務庁）といった世界屈指のスパイ組織も、作戦に関与していた。

このサイバー攻撃では、外部のインターネットから遮断・隔離されていたナタンズのシステムに、スタックスネットを持つパソコンまたはUSBドライブを何らかの方法で持ち込み、インストールすることから始まる。最近になって明らかになった情報によれば、オランダの諜報機関「ジェネラル・インテリジェンス・セキュリティ・サービス（AIVD）」が運用していたイラン人エンジニアのスパイが、ナタンズの内部に入ってスタックスネットを内部システムに感染させたという。

そして、スタックスネットは施設内部でウラン濃縮作業を行う遠心分離機の動作を管理する独シーメンス社製の中央制御装置を乗っ取ると、アメリカは職員らに一切感づかれることなく、多くの遠心分離機を不正操作して破壊してみせた。

この、中央制御装置への感染から破壊までの間に、スタックスネットは、メンテナンスで出入りする関係者のパソコンに内部の運用情報を記録したファイルを勝手にコピーし、この関係者が施設外に出てインターネットに接続すると、そのファイルを攻撃者であるＮＳＡ関係者の元に秘密裏に送信するようプログラムされていた。ＮＳＡ関係者は受け取ったその内部情報を精査し、より正確に攻撃を遂行できるよう、さらにスタックスネットをカスタマイズし、再び出入りする関係者のパソコンにアップデート版を感染させ、ナタンズの内部に送り込む。

こうして改良を重ねられたスタックスネットは、確実に攻撃を成功させるため、察知されないよう15分過剰に高速回転させては休憩をはさんで50分高速回転させる……といった具合に不正操作し、長時間かけてじっくりと遠心分離機を破壊し、機能停止の方向に導いたのだった。

世界で初めて国家によって仕掛けられた「サイバー破壊兵器」を解析し、その存在を世界に公表したドイツ人サイバー専門家のラルフ・ラングナーは、筆者の取材に「ナタンズの遠心分離器に対する攻撃は、そこら中にある重要インフラ施設にマルウェアで攻撃できることを知らしめ、他の産業にも応用されかねないということを明らかにした。化学物質の工場や、原子力発電所などに対して行われたとしたら、多くの死傷者を出すような被害を生む。大きな視野で見ると、私はそれが現実になるのではないかと懸念している」と語っている。世界中の核関連施設や電力など重要インフラ施設、民間の工場

ナタンズのウラン濃縮施設を視察するアフマディネジャド・イラン大統領（中央・2009年4月） 提供：Presidential official website／ロイター／アフロ

など多くの施設では、シーメンス社製の中央制御装置を使っている。つまりシーメンス社製の制御装置が攻略されてしまった事実は、世界中の核関連施設などがスタックスネットのようなマルウェアなどで破壊される可能性があることを示唆している。しかもシーメンス社に限らず、デジタル化された核施設などの制御装置が、サイバー攻撃に晒されるリスクがあることも露呈した。

特筆すべきは、この映画にでも登場しそうな複雑なサイバー攻撃が実施されたのが、今から10年も前ということだ。当時から、ここまでの攻撃が可能だったということなら、現在、国家が絡むサイバー工作ではどんなレベルの攻撃が実現可能になっているのだろうか。少なくとも、この伝説的なスタックスネットは、ひと昔前の攻撃ということになる。

いま世界各国がどんなサイバー攻撃を行っているのかについては、すべての国で機密情報扱いになっており、公式に表に出てくることは少ない。ただスタックスネット後、米国を中心に米政府や同盟国が行っているサイバー攻撃の一端を垣間見られるような情報が漏れ伝わっている。

例えば、ホテルなどによく備え付けられていたサムスン電子製のスマートテレビをＣＩＡがサイバー攻撃によって盗聴器として使えるようにしていたり、世界中のインターネットユーザーを米ＮＳＡが監視する大規模なプログラムの存在も明らかになった。まるで映画『エネミー・オブ・アメリカ』や、ボーン・シリーズの第3作『ボーン・アルティメイタム』のような世界だが、それが現実であるということだ。

スタックスネットから10年が経った今、サイバー空間ではどんな攻撃が行われているのだろうか。

一般的に私たちの社会生活に直結するサイバー攻撃の手口は数多くある。

何年も前なら、スパムと呼ばれるメールが誰にでも届いていた。見ず知らずの会社などからメールが一方的に送り込まれ、そこにあるリンクなどをクリックすることでマルウェアに感染してしまうのである。今では、そうしたメールは識別が容易であり、ほとんどのメールソフトがスパムメールを排除してくれる。

そうなると攻撃側は、そうした防衛策を超えてこようとする。近年かなり巧妙化した攻撃が行われているのは、そうした「いたちごっこ」の結果だと言えるかもしれない。

例えば、日本でも問題になっている攻撃には、ＤＤｏｓ（ディードス）攻撃、ランサムウェア、フィッシングメール、スピアフィッシング・メール（標的型メール攻撃）などがある。

ＤＤｏｓ攻撃とは、標的のサーバーなどに大量のデータを送りつけて負荷を高めることで、機能を不全にさせてしまう攻撃だ。

フィッシングメールは、攻撃者は一般のユーザーに多くの偽メールを送る。そして偽のリンクをつけるなどしてパスワードなどを不正に獲得して悪用する攻撃だ。

ランサムウェアは２０１８年に世界中で猛威を振るったことで記憶に新しいが、いわゆる身代金要求型ウイルスと日本では呼ばれている。きちんとアップデートをしていないなど欠陥があるパソコンに感染し、感染したパソコンを勝手に乗っ取って暗号化して使用できなくしてしまい、元に戻したければカネを支払うよう要求する形の攻撃だ。

スピアフィッシング・メールは、フィッシングメールがさらに巧妙になったもので、実在する企業や人物を装ったメールで標的を騙し、パスワードなどを盗み出す。つまり、普段から利用している金融機関やお店から、正規と見間違うような不正メールが届くのである。差出人は上司や同僚の場合もある。そのメールにある指示や案内に従って、貼り付けられているリンクをクリックするなどすれば、攻撃者がパソコンに侵入できるようになるというものだ。第1章の東京オリンピックに絡む攻撃がまさにそれだ。

これらのサイバー攻撃は、国家系のハッカーたちが他国への攻撃に使うこともあるし、犯罪組織が金銭目的で使うこともある。この中でも、フィッシングメールというのは様々なサイバー攻撃の最初の手段として使われる。この手のメールには、添付ファイルをクリックさせるものや、書かれているリンク先にアクセスさせるものもある。

ただし、こうした手段はあくまで、攻撃の入り口に過ぎない。不正メールでパスワードを突破すれば、パソコンからは様々な個人情報や内部情報などを盗むことができる。

Amazonからのメールを装ったスピアフィッシング・メール。一見すると正規のメールのようだが、よく読むと「永久ロック.」など日本語がおかしい箇所が散見される

またそこを踏み台にして、別のパソコンに攻撃が行われたりする。勤め先である会社や官公庁などにマルウェア感染を許すというケースも少なくない。

ここで紹介した攻撃は、万国共通だ。毎日、まさにこの瞬間も、世界ではこうしたサイバー攻撃が繰り広げられている。その被害は、数字で正確に表せないほど数多いとも言われている。

世界で現実に起こっている事件を見渡すと、これら基本的なサイバー攻撃がどのように活用されているのかがわかる。そして私たちの生活にどんな影響を及ぼすのかも、垣間見ることができるだろう。そこで、サイバー攻撃の実態を探るために世界を

「旅」してみたい。おそらく多くの人が知らない実態を知ることができるはずだ。

IoTを利用してDDos攻撃を仕掛けるマルウェア「Mirai」とは

2017年2月、英国家犯罪対策庁(NCA)は、英国とイスラエルの二重国籍であるダニエル・ケイ(30)を逮捕した。有能なハッカーであるケイは、2015年10月に、西アフリカのリベリアにある通信会社セルコムから依頼を受け、ライバルである通信会社ローンスターへのDDos攻撃を実施した。セルコムはリベリア国内の通信事業で優位に立つために、敵であるローンスターをトラブルに陥れたかった。そこで、ハッカーであるケイを1万ドルで雇い、サイバー攻撃を仕掛けたのだった。

ケイは何度かに分けて、ローンスターに対して激しいDDos攻撃を行った。このDDos攻撃では、IoT機器(モノのインターネット＝インターネットに接続される電気機器のこと)をハッキングして支配するための「Mirai(ミライ)」という有名なマルウェア(悪意あるプログラム)が使われた。ケイはキプロスに滞在しながら、世界各地のセキュリティが甘いインターネットのルーター（通信機器）や、インターネットに接続された監視カメラなどを大量に乗っ取って支配下に置き、遠隔操作で一斉にローンスターへ莫大なデータを送りつけた。

だが事はこれだけでは済まなかった。ケイの攻撃はあまりにも強力だったために、その影響は予想以上に拡大し、2016年に入るとリベリア国内のインターネットの大部分が機能不全に陥った。つまり、1人のハッカーがいち国家のサイバー空間をほぼ遮断してしまったのである。ローンスターはシステム復旧に60万ドルを費やし、信用を失ったことで数百万人規模で契約者を失ったという。

ケイが逮捕されると、彼が実施した別の悪事も白日のもとにさらされた。2016年11月にドイツ最大の通信会社であるドイツ・テレコムに対してもDDos攻撃を実施していたことが判明。当時、100万人の顧客に影響が及んだ。結局、ケイは英国での逮捕後、一時的にドイツに身柄を引き渡され、その後に英国に再び送致され、投獄された。ケイは凄腕のハッカーで、これらの事件以外にも、スパイウェア（個人情報を盗むプログラム）を作成していたとの指摘も上がっている。

ケイのケースで使われたのがＭｉｒａｉ（ミライ）というマルウェアだったことはすでに述べた。このＭｉｒａｉは、日本の「未来」から名付けられている。もともと、日本のＴＶアニメ『未来日記』から取ったものだった。Ｍｉｒａｉを作成したのは、20歳が2人と21歳が1人の3人の若者。米司法省が２０１７年12月に公開した裁判資料によれば、この3人はネット上で知り合った。主犯格のパラス・ジハ被告（21）は、事件当時、実家暮らしの大学生だったが、自らＤＤｏｓ攻撃に対処するサービスを提供するＩＴ企業を立ち上げていた。

このＭｉｒａｉのメカニズムはこうだ。購入してからパスワードなどを再設定していない、購入時のままで使われているＩｏＴ機器を世界中のネット上で探す。そして検知した大量のデジタル機器に感染し、所有者に知られることなく支配下に置き、ＤＤｏｓ攻撃に使うためのＩｏＴの機器群（ボット・ネットと呼ぶ）を作っていたのである。Ｍｉｒａｉは、デバイスを探し始めてから20時間で6万５０００個のデジタル機器に感染。その後76分ごとに倍々で感染は増え、ジハたちは遠隔操作できる30万個の機器からなるネットワークを作っていた。攻撃者の指示を受ければ、こうした機器は一斉に指定されたサーバーなどにデータを送りつけるのだ。

そもそもＤＤｏｓ攻撃が初めて行われたのは１９９５年ごろだとされる。諸説あるが、世界で最初のＤＤｏｓ攻撃は、イタリアの活動家らが実施した。フランスの核実験に反対する世界初の「ハクティビスト（ハッカーと、活動家という意味のアクティビストを足した言葉）」がイタリアで誕生し、１９９５年に世界初のＤＤｏｓ攻撃が行われた。そしてフランス政府機関のウェブサイトがダウンする事態に陥ったのだった。

その後、様々なＤＤｏｓ攻撃が報告されてきた。エストニアやトルコ、ジョージアなど国家が大々的に攻撃されるケースもあれば、民間企業が攻撃され、損害を出すケースも少なくない。ある米国の調査では、民間企業の80％以上が1年間に何らかのＤＤｏｓ攻撃を受けていると言われており、その損失額は1時間で30万ドルを超えているという。

民間企業で影響を受けやすい標的としては、金融機関がそのひとつに挙げられる。ネットバンキングなど大量の取引が行われる金融機関のサーバーが一時的にでも停止すれば、その損失は計り知れない。そんなことから、米金融機関では「シェルタード・ハーバー」と呼ばれる取り組みが２０１７年に始まっている。これは、金融機関がハッキングやＤＤｏｓ攻撃を受けたことで顧客が銀行を使えなくなるのを防ぐために、「シェルタード・ハーバー」に参加している他のメンバーである金融機関が顧客データなどをシェアし、代わりに扱えるようにするというものだ。そうすれば、DDoS攻撃をされた際に顧客へのサービスを停止せずに済み、混乱を緩和できる。つまりリスクが拡散できるのである。現在、米国の金融機関がもつ口座の7割ほどがこの「シェルタード・ハーバー」に守られている計算になる。

Miraiのケースで表面化したが、最近のDDoS攻撃によく使われるセキュリティの甘いIoT機器も、今後爆発的に増えていくだろう。世界はこれから5G(第5世代移動通信システム)に移行していくことになる。第4次産業革命をもたらすと言われる5Gでは、通信速度と同時接続が現在の100倍になるとも言われている。そうなると、今以上にすべてのモノがインターネットにつながることになる。スマートテレビやプリンター、エアコンや冷蔵庫、体重計など、インターネット対応型の家電や機器、いわゆるIoT機器は2030年には5000億個を超えるとも言われているのだ。特に、インターネットのインフラが行き届いている日本では、その傾向は顕著になるだろう。便利になるのは間違いなく、歓迎されるべきだが、同時にリスクも高まることを忘れてはいけない。仮にその5000億個がひとつのサーバーを一斉に攻撃したらどうなるか。

そして今、ＤＤｏｓ攻撃は、闇ウェブに行けば時間貸しでレンタルできるようになっている。例えば、２７０ギガバイトという膨大な通信量でＤＤｏｓ攻撃を行う場合の値段は、１日で60ドルほど。使える通信量と期間によって値段は変わり、安ければ30ドルから利用できる。能力が高くないハッカーでも比較的簡単に実行できる攻撃として、お手軽によく使われているが、その攻撃力はリベリアのように国家機能が麻痺するようなこともあれば、民間企業のサービスが機能不全に陥って大損害を被ることもある。そのため、サイバー犯罪者の中には、「ＤＤｏｓ攻撃されたくなかったら○○円払え」というような脅迫を行う者も出現している。

日本でも２０１７年から、愉快犯と思しき人物が、日本の中央官庁や警察、民間企業に対して、レンタルしたと思われるＤＤｏｓ攻撃を実施し、関係者の間で話題になったことがある。かなり挑発的に攻撃前にツイッターで予告をしたり、北朝鮮のサイトにもＤＤｏｓ攻撃を仕掛けてサーバーをダウンさせたと主張し、その記録を公開した。この攻撃は、匿名通信を行えるトーアを使っていた。被害者たちが金銭を要求されることはなかったが、ある電機小売大手は、サーバーダウンでネットショッピングなどが使用できなくなり、損失を受けたとして刑事告発した。

これがメジャーなサイバー攻撃のひとつであるＤＤｏｓ攻撃の現実だ。この攻撃は、国家系ハッカーや犯罪者ハッカーなど、皆が好んでよく使う手段である。

さらにこのＭｉｒａｉのケースに絡んで、触れておきたいことがある。この攻撃では、通信会社をサイバー攻撃させるために、ライバルの通信会社がハッカーを雇っていたが、こうしたライバルに対する攻撃は以前から起きている。２０１４年、米メジャーリーグのセントルイス・カージナルスでスカウト部門のトップだった人物が、ライバルのチームであるヒューストン・アストロズの内部コンピューターにハッキングし、アストロズのスカウト情報を盗み出すという事件が発覚。カージナルスのスカウトは46カ月の禁固刑となっている。

このように、企業間などの競争にもサイバー攻撃が使われることがあるということだ。

ＪＡＬも騙されたビジネスメール詐欺
被害額は３億８４００万円

２０１６年６月、筆者は以前暮らしていたシンガポールを再訪した。目的は、国際刑事警察機構（ＩＣＰＯ＝インターポール）のサイバー犯罪対策部門である「ＩＧＣＩ」を訪ねるためだった。そこで、当時ＩＧＣＩの総局長だった中谷昇氏にインタビューを行った。

中谷氏は２０１５年に設立されたＩＧＣＩの初代総局長で、インターポールのサイバー部門を立ち上げた立役者である。もともと日本の警察庁からインターポールに出向し、日本の官僚として世界のサイバー犯罪を知り尽くした人物だ。

そんな中谷氏は、「特に懸念しているサイバー攻撃はどんなものがあるのか」との問いに、「ビジネスメール詐欺（ＢＥＣ）」という「いわゆる電子メールの『背乗り』のサイバー犯罪が増えている」と指摘した。ビジネスメール詐欺も世界的に猛威を振るっているサイバー攻撃で、警察庁によれば、「海外の取引先や自社の経営者層等になりすまして、偽の電子メールを送って入金を促す詐欺」だ。「同種詐欺事案は世界中で大きな被害をもたらしており、日本国内においても高額な被害が確認されています」とも、警察庁は指摘している。安全保障とは直接関係はないが、民間企業に多大な金銭的損害を与え、表沙汰になれば評判を著しく貶めるサイバー犯罪である。

米ＦＢＩ（連邦捜査局）によれば、ＢＥＣは、２０１６年12月から２０１８年５月までに、世界で125億ドルの被害を出している。この犯罪では、攻撃者らはまず周到にターゲットとなる企業について様々な方法でリサーチを行う。例えば、ソーシャル・エンジニアリングと呼ばれる、サイバー攻撃とは関係のない手法で、ターゲットの企業や関連企業から幹部などの情報を獲得する。関係者のふりをして電話をかけてくる場合もあれば、関係者から直接情報を仕入れるといったやり方もある。サイバー攻撃をするために、事前にアナログな方法で内部情報を得るのである。

またフィッシングメールなどによって、マルウェアを仕掛けるケースもある。そしてそこからターゲット企業内のシステムに入り込み、上司や取引先企業になりすますのだ。

実際に起きたこんな例がある。2018年、イタリアのエンジニア企業であるテクニモントのインドの子会社が、BECによって1860万ドルの被害を受けるという事件が発生した。このケースでは、攻撃者らは、イタリア在住の同社CEOからのものに見せかけた電子メールで、インド子会社のトップに電話会議を開くよう要請。そして実際に、偽のCEOが同席しながら電話会議が行われ、そこで中国で「トップシークレット」に進んでいる買収計画についての話し合いが行われたという。その電話会議に出席した同社の他の幹部やスイス在住の弁護士などもすべて偽物だった。

その会議で偽CEOらは、インド子会社トップにこう伝えた。

「規制があって、イタリアから送金ができなくなっている。インドから香港の3つの口座に分けて送ってほしい」。

11月に子会社トップは、指示のあった口座にそれぞれ560万ドル、940万ドル、360万ドルを送金した。送金が終わると、香港側で数分以内に全額が引き出されている。

攻撃者が4度目の送金を要求してから、インドのトップは何かがおかしいことに気がついた。というのも、イタリア本社のCEOが12月にインドを訪問し、すべてが詐欺だったと明らかになったためだった。しかし、気づいてからでは遅い。後の祭り、である。このケースは中国人ハッカーの仕業だと見られている。

ひとつ忘れてはいけないのは、BECは金銭が目的の攻撃であるが、攻撃者はBECのためにターゲットのシステムに侵入できていることだ。サイバー攻撃というのは、基本的に初期の攻撃手段は多くない。しかし侵入さえしてしまえば何だってやり放題であり、その気になればシステムを破壊することも可能だということだ。このBECに当てはめれば、攻撃者は敵対する国家で、ターゲットが重要な基幹インフラ事業者ということもあり得たわけで、その場合はまた違った甚大な被害が出ることになる。人命にすら影響が出かねない攻撃となるだろう。

こうしたＢＥＣのケースは日本でも起きている。２０１７年9月、日本航空（ＪＡＬ）に取引先の担当者を装った人物からの偽メールが届いた。そこには海外の金融会社に支払う予定だった航空機のリース代金について、支払口座を香港の銀行に変更したと記されていた。しかも、送信元の電子メールアドレスは担当者のものと同じだと判断され、ＪＡＬの担当者は2回にわたって合計約3億８４００万円を送金してしまった。だが後にこれが詐欺だったことがわかった。

これはＢＥＣのケースであると同時に、「サプライチェーン攻撃」というサイバー攻撃にも当てはまる。

「サプライチェーン攻撃」とは、ビジネスにおけるサプライチェーンを狙う攻撃だ。セキュリティ対策がきちんと行われている企業を狙うのは簡単ではないため、そうした企業などに出入りしたり、取引きをしているセキュリティ対策の甘い企業などにまずサイバー攻撃をして侵入してから、大手企業を狙っていく手法だ。大企業も取引先からのメールであれば疑いなくメールを信用してしまうが、実はそれがなりすましということが起きている。この攻撃は手の込んだものであり、世界で猛威を振るっているだけでなく、日本でもすでに被害が出ている。この攻撃は、金銭的な目的で犯罪に使われる場合と、スパイ行為などに使われる場合に分けられる。

米国では、2013年に米大手量販店TARGETが被害に遭っている。この事件では、TARGETに出入りし、空調機器システムを提供していた会社が狙われた。攻撃者は空調機器業者にサイバー攻撃を仕掛け、業者がTARGETのシステムにアクセスする際のIDやパスワードを不正に入手。それを使ってTARGETの支払いシステムへの侵入を成功させていた。結果的に、4000万件のデビットカードおよびクレジットカードの情報と、7000万件の個人情報が盗まれた。まさにサプライチェーンを狙った攻撃である。

2017年には、米国で「過去最大級の情報流出」として問題になった、米信用調査会社エクイファックスへの大規模サイバー攻撃が起きている。この事件では、最大1億5000万人分近い顧客の情報が盗まれ、住所やクレジットカード番号なども漏れた可能性が指摘されている。この事件の発端となったのも、サプライチェーン攻撃だった。エクイファックスが導入していた外部ソフトウェアにハッキングされる欠陥があり、そこが狙われて侵入を許したのだった。

　この手の攻撃について、特に最近サイバーセキュリティ関係者たちが懸念しているのは、クラウドサービスへのハッキングだ。クラウドサービスとは、インターネット上で個人や企業の情報の保存や処理、共有などが行えるサービスで、グーグルのグーグルドライブなどが代表だ。利用者はクラウドサービスのIDとログインパスワードさえ控えておけば、外出先の他人のパソコンやスマホからでも自分の情報にアクセスできる。最近では、パソコンで使うソフトウェアなどもクラウド上に置かれ、ユーザーは自分のパソコン上にインストールをする必要がないというサービスもある。ここで警戒されるのは、クラウドサービスがサイバー攻撃に遭って攻撃者に侵入されてしまったら、そこを利用しているユーザー（個人や企業）の情報が一斉に盗まれる可能性があるということだ。もちろんクラウドサービス側も対策には力を入れているだろうが、こうしたリスクはついて回る。BECやサプライチェーン攻撃も、ほとんどの場合、サイバー犯罪に使われているが、安全保障に関わるような他国への妨害やスパイ行為、さらには破壊工作などにも活用できる。いったんネットワークやシステムに侵入されてしまえば、あとは攻撃者の意図によって、様々な攻撃が可能になるからだ。

TV局がハッキングされ番組中に緊急速報
「死者が墓場からよみがえった!」

最近よく耳にするようになった「流行り」のサイバー攻撃には、ランサムウェア（身代金要求型ウイルス）もある。ランサムウェアが使われた攻撃としては、こんな例がある。2018年3月、メリーランド州ボルチモアで、何者かによってランサムウェアによる攻撃が行われ、周辺地域の911システムや311システムが利用できなくなった。米国の911とは、日本でいうところの110番であり、311は市民が自治体に行政に絡む苦情や通報、質問などを知らせることができる番号である。つまり、事件が起きた時などに通報する110番ができなくなってしまったということになる。しかもその状態は17時間も続いた。

想像してみてほしい。日本で110番に長時間電話ができなくなるのである。街が混乱に陥ることは間違いない。米国土安全保障省は2015年に、911が攻撃されることで起きる危険性を警告していたが、それが現実になってしまったのだ。

ボルチモアでは、911通報を自動で受け取って様々な情報を瞬時に把握するシステムを導入していたが、手動で受け取れるように変更して対応した。ちなみにボルチモアは全米でも有数の犯罪多発都市として知られている。

また同時期に、米ジョージア州アトランタでもランサムウェア攻撃が確認された。自治体のサービスにアクセスできなくなり、公共料金の支払いができなくなったり、裁判所の手続きもできない状態に陥った。裁判所では、何十年にもわたる裁判記録の一部が失われる結果になった。この攻撃ではアトランタは要求された仮想通貨のビットコイン（6ビットコイン＝5万1000ドル）を支払わなかったため、暗号を解くことができず、1週間近くサービスを利用できなくなり、復旧後もしばらくはいくつかのサービスが使えない状態が続いた。結局、犯人としてイラン人ハッカー2人が起訴された。

どちらのケースも、システムが何らかの形でランサムウェアに感染し、職員のパソコンやシステムなどが勝手に暗号化され、元に戻したければ身代金を支払うよう画面に要求が現れるものだった。ランサムウェアはフィッシングメールなどで感染することが多いが、アトランタのケースでは、ブルートフォースという攻撃が行われ、関係者のアカウントが乗っ取られてマルウェアに感染した。ブルートフォース攻撃とは、パスワードなどを突破する方法のひとつで、可能な組合せをすべて試す攻撃方法だ。総当たり攻撃とも呼ばれている。

最近、こうした攻撃が米地方自治体や公共機関を次々と襲っている。２０１８年3月にランサムウェアに感染したジョージア州ジャクソン郡の役所は、40万ドルの「身代金」を支払い、パソコンを暗号から解くことができたという。普通なら身代金を支払うとさらに追加の要求がなされると考えて支払わないものだが、ジャクソン郡が支払った背景には、アトランタのケースで身代金を支払わなかったために、修復費用などでの９５０万ドルと言われるコストがかかってしまったことがある。

こうした行政サービスを遮断してしまう攻撃は、単なる金銭的な損害で済まされない。国民の生命・財産に多大なる影響を与えることにもなりかねない。９１１につながらないのはその最たる例だが、例えば次のようなケースも過去には起きている。

２０１3年、モンタナ州グレートフォールズ。シカゴ警察の警官だったタレントが司会をする午後のトーク番組中に、突然、画面の上部に緊急警報システムのメッセージが流れた。

「お住まいのエリアの当局による報告では、死者が墓場からよみがえっており、生きている人々を襲っているようです。新しい情報が入り次第お知らせいたしますので、画面に流れるメッセージに注意していてください。非常に危険ですので、ゾンビに近づいたり、捕まえようとしないよう注意してください」。

この警報を受け、もちろん多くがいたずらだと直ちに察知したが、それでも警察は念のために異常がないかを調べる必要があった。当然のことながら、ゾンビなどが発見されるはずもなかったが、警察にはこの警報を見た住民から4件の問い合わせ電話があったという。結局、この緊急警報システムは、何者かによってハッキングされていたことが判明した。今も犯人は捕まっていない。

これは冗談で済む話だが、この事例からこんなことが考えられる。例えばライバル国が、日本の緊急警報システムを乗っ取り、偽の速報を大々的に流せば、市民がパニックに陥る可能性があるということだ。「太平洋上で発生した大地震により、東京に過去最大規模の大津波が10分以内に到達する」といった類のメッセージだ。警報を発する消防庁などがハッキングで知らぬ間に乗っ取られ、携帯電話やテレビで偽情報の緊急地震速報を流すだけでも、パニックは起きる。国家系ハッカーが、こうした工作で敵にダメージを与えることもできるのである。ネットワーク化され、便利になる今の世の中では、思いがけないところにサイバー攻撃の落とし穴がある。

欧州委員会の調査では、欧州諸国でも２０１６年には１日４０００件以上のランサムウェア攻撃が発生していたという。その攻撃は世界中で続けられている。

ここまで見てきた世界のサイバー攻撃事情は、基本的にはサイバー犯罪がメインである。ただし、何度も言うように、こうしたサイバー犯罪も、国家への脅威となる。例えば、金融部門が大打撃を受けることになれば、国家的な影響は免れない。そして世界中の金融関係者がそのリスクを認識しており、２０１８年にオーストラリアで開催された金融関係者が集まる大規模なカンファレンスに出席した人たちへの調査では、83%が「ブラック・スワン」タイプの攻撃が起きる可能性があると考えていることがわかった。つまり、国家の安全保障を揺るがすようなサイバー犯罪が起きたり、これまでの常識を覆してしまうようなサイバー攻撃によって混乱が生じる可能性が考えられると、世界で金融機関に勤める多くの関係者が感じている。

そもそも、金銭的動機があるサイバー犯罪や攻撃以外にも、安全保障に絡むものや、いわゆる「サイバー戦争」と言われるような攻撃も、長きにわたってずっと世界中で頻発している。世界各地の選挙を襲うサイバー攻撃、サイバー工作によるスパイ活動、インフラ施設への妨害工作、有事に向けたサイバー工作、国家が乗り出している金銭目的のサイバー攻撃も実は起きている。

２０１７年、フランスの電力企業シュナイダーは、中東の電力施設がサイバー攻撃により作業を中断せざるを得なくなったと認めている。施設内の制御装置がサイバー攻撃で感染させられたマルウェア（不正なプログラム）で乗っ取られてしまったからだ。この件を調査したサイバー専門家らは、この攻撃は国家によるものだと結論づけている。サイバー攻撃の本当の怖さは、このような、犯罪行為を超えたところにあると言っても過言ではない。

次章からは国家が絡むサイバー攻撃の実態と、そこから見えてくるサイバー攻撃が世界の平和や秩序、価値観に与える脅威に、焦点を移していきたい。

第3章

アメリカのサイバー戦略

世界最強軍団の実態

サイバー攻撃を仕掛けて米大統領選挙に介入したロシア

サイバー戦争の歴史を変えてしまった壮大な工作が、最初に動き始めたのは2015年6月のことだった。

「ザ・デュークス」と呼ばれるハッキング組織が、米国内の有名シンクタンクやNGO団体などへのハッキング攻撃を開始した。その攻撃は、下調べの調査などを皮切りに、じっくりと1年以上をかけて行われた。

大きな被害をもたらすようなサイバー攻撃というのは、ゆっくりと時間をかけて行われることが多い。侵入を成功させるまで様々な手段で静かに攻撃を進め、標的のシステムなどに入り込めれば、破壊工作に向けて何カ月も内部の監視を行う。情報を盗む場合は、データが流出しているトラフィックがバレないように、時間をかけて盗むのである。

「ザ・デュークス」がまず標的としたのは、汚職などと戦うNGOのトランスペアレンシー・インターナショナルや、米シンクタンクの新アメリカ安全保障センター

（ＣＮＡＳ）、外交問題評議会（ＣＦＲ）、国際戦略研究所（ＩＩＳＳ）、政治リスクを調査する会社であるユーラシア・グループといった組織だった。「ザ・デュークス」は、政府関係者や連邦議会関係者など政府の要人らが頻繁に出入りするこれらの組織に、時間をかけてハッキングで侵入したのである。

ハッカーらは当初、リンク付きのメールを送りつけ、マルウェア（悪意ある不正なプログラム）を仕掛けた「ｚｉｐファイル」をダウンロードさせようとしていた。だが２０１６年の８月になると攻撃手法が変化する。

実在する企業や人物を装ってメールを開かせるスピアフィッシング・メールの送信を開始したのである。これはすなわち、それ以前の政府関係者につながる人たちへのサイバー攻撃が上手くいったことを意味する。彼らからのメールのふりをするなどしてワードやエクセルのファイルを添付し、メールを受け取った人たちにそうしたファイルを開かせることでハッキングに成功していた。

またグーグルからの警告メールに見せた偽メールも送りつけた。「今、何者かがあなたのグーグル・アカウントにログインしようとしてあなたのパスワードを使いました」「グーグルはアクセスを停止しました。直ちにパスワードを変更すべきです」などと書かれ、そこには「パスワード変更」のボタンが作られていた。それをクリックすることで、多くがアカウントを乗っ取られていた。

一連のハッキング攻撃では2016年11月に大統領選を控えていた米民主党の全国委員会（DNC）も狙われていた。そしてセキュリティがお粗末だったDNCは、2015年9月の段階で、早々と侵入を許してしまっていたのである。しかもその事実は、すぐにFBI（連邦捜査局）が独自に把握。FBIは監視を続けながら、DNCにも直接連絡を入れて、サイバー攻撃が進行している事実を伝えている。しかしDNC側は事の重大性に気づいておらず、FBIからの連絡を放置。その結果、それから7カ月にわたって、「ザ・デュークス」はDNCのネットワーク内を自由に動き回り、焦ることなく内部情報を着実に盗み出した。

この「ザ・デュークス」は、サイバーセキュリティ関係者の間では、別名「APT29」や「コージー・ベアー」とも呼ばれているハッキング組織だった。彼らは、ロシアの情報機関であるGRU（ロシア連邦軍参謀本部情報総局）の指示で活動しているとされるサイバー攻撃軍団である。

当時、米サイバー軍の司令官で、NSA(米国家安全保障局)の長官でもあったマイケル・ロジャーズ海軍大将は、大統領選後に「ザ・デュークス」について「国家が、特別な効果を達成するために、意識的に仕掛けたことである」と述べている。

この攻撃で、DNCの幹部たちや、ヒラリー・クリントン陣営のジョン・ポデスタ選対本部長の個人メールなども盗まれた。2万通にも及ぶそれらのメールは、DNCハッキングの実行犯だと自ら主張する「グーシファー2・0」と名乗る人物によって、内部告発サイトであるウィキリークスなどに提供されて、誰でも見られるように公開されてしまった。同党内部のやりとりで、民主党本部が大統領選指名候補争いで、バーニー・サンダース上院議員ではなく、クリントンに肩入れして勝たせようとしていたことなども暴露された。結局、2016年7月26日にクリントンが民主党指名候補の座を獲得したのはご存知の通りだ。

ただ話はそこで終わらない。

2017年6月23日に掲載されたワシントンポストの記事では、当時のバラク・オバマ大統領のもとにロシアの米大統領選ハッキングについて超極秘情報がもたらされたのは予備選直後の2016年8月のことだったと指摘。そのうえで、当時のジョン・ブレナンCIA長官がオバマに伝えたその情報は、ウラジーミル・プーチン大統領が自ら直接、米大統領選に介入を指示し、クリントンを貶めてトランプを勝利させるよう命令を下したというものだった。しかもその情報は、ロシア政府内部の奥深くからもたらされたものだったという。ドナルド・トランプ共和党候補との選挙戦の後、敗れたクリントン陣営は、このサイバー攻撃による内部情報の暴露が、大統領選に敗れた要因のひとつだったと指摘している。

大統領選では、ハッキング事案と併せて、ロシアがフェイスブックやツイッターを使って、フェイクニュースを大量にばらまくことで世論を誘導しようとする作戦も確認されていた。他国の内政に干渉しようとする新手のサイバー攻撃だと言っていいだろう。

その証拠にフェイスブックは2017年9月6日、ロシアの情報機関関係者が「アメリカ人活動家」などを装って、偽のアカウントやフェイスブック・ページ（ユーザーがフェイスブック内に作れるホームページのようなサイト）を多数作成していたことが判明したと発表した。

さらに同21日、フェイスブックは、ロシアによる米大統領選介入を調査している米議会の委員会に、ロシア政府関連とされるフェイスブック広告3000件以上の情報を提出すると明らかにした。フェイスブック広告とは、ユーザーが広告料を支払うことで、フェイスブックユーザーに自分の政治的な投稿などを幅広く宣伝できるサービスのことを指す。フェイスブック広告を専門にする米企業ブリッツメトリクスによれば、10万ドルの広告を出せば、最大で7000万人にリーチできるとしている。

ロシア絡みのアカウントは、トランプの有利になるような情報やフェイクニュースをフェイスブックで執拗に、広範囲にばら撒いていた。また、「ザ・デュークス」が盗んだDNCの内部メールが公開されているサイトへユーザーを誘導するようなメッセージも拡散させていた。

例えば「ビーイング・ペイトリオテック(愛国的に)」というロシアのフェイスブック・ページは、フロリダで親トランプの集会を組織すべく動いており、実際にフロリダ州でトランプ支持者たちを多数集めて、デモを行ったことが確認されている。これは、ロシアのプロパガンダがフェイスブックを介して、アメリカで政治運動を実現した史上初のケースだと言われている。

こうした数々の工作には、ロシア西部サンクトペテルブルクを拠点とする「インターネット・リサーチ・エージェンシー（ＩＲＡ）」という名のサイバー工作組織などが関与していた。ＩＲＡはプーチン大統領の親しい友人が資金提供しているとされる企業である。アメリカのＣＩＡ（中央情報局）とＦＢＩ、ＮＳＡは連名で、２０１７年1月に、フェイクニュースなどを各地で拡散させているこの組織がロシアの情報機関とつながっており、少なくとも２０１５年12月から親トランプの工作を行っていたと発表している。

一連の騒動に対して、ロシア西部の港湾都市サンクトペテルブルクでスピーチしたプーチンは、「米大統領選に対するハッキングへの関与を決して認めていないが、ロシアと西側諸国の緊張関係が個人にサイバー攻撃をするよう促すことは『理論的に可能である』と述べた」という。さらにプーチンはこうもうそぶいた。「ハッカーたちだって朝起きて、国際関係の動向について何かを読んで、愛国的な意識があるなら、ロシアについて悪く言う人に対する戦いに貢献しようとするかもしれない」。

２０１６年の大統領選でこれほどの攻撃が起きていたのに、２０１８年の米中間選挙で何も起きないと考えるのはあまりにもナイーブである。アメリカはきっちりと同じ轍を踏まないよう、準備をした。

後に詳しく見るが、米国が誇るサイバー軍はＮＳＡと協力して、サイバー攻撃で

IRAのネット接続を完全に遮断し、活動が行えないようにした。さらにロシア側で米国への攻撃を実行しているハッカーなどに直接、電子メールなどでメッセージを送り、彼らの実名などをすべて把握していると伝えた。こうした攻撃は、「積極的な防衛」とも言えるが、かなり有効だったと分析されている。

この攻撃は、トランプが承認したと言われている。トランプは2019年5月、米FOXニュースのインタビューで、中間選挙の間にロシアをサイバー攻撃したのかと問われ、「どちらかといえば話したくない。だが、そういったことはあった。私の政権の間に起きた」と述べた。「なぜ話さないのか」と追い打ちをかけられたトランプは、こう答えている。「情報機関関係者は、私が外でこの話をするのを望んでいない。インテリジェンスを漏らすなと」。

サイバー攻撃というのは、戦争の概念を変えつつある。ロシアが行った選挙介入もそのひとつだが、いまも内戦が続くシリア情勢を例にとると、もっとわかりやすいかもしれない。

シリアではロシアや中国などが支持する政府軍と、アメリカやイスラエルなどが支援する反政府軍が争い、さながら米露の代理戦争の様相を呈している。アメリカとロシアがミサイルなどで物理的に直接戦火を交えることはないが、しかし水面下では、お互いサイバー攻撃を仕掛けあい、激しいサイバー戦争を行っているのだ。

こうした現実こそ、これからの戦争の主流になっていくだろう。もちろん戦力誇示と抑止力のために通常兵器などの開発は続けられるだろうが、サイバー攻撃が「実働兵器」となっていく可能性は高い。

今のところ、サイバー攻撃では目の前にいる敵を瞬時に射殺することはできない。だが結果的に、様々な手段でその敵をサイバー攻撃によって殺すことはできる。前もって準備をするなど戦い方は変わるが、同じ結果をもたらすことは可能だ。また「殺す」という意味も、単に肉体的に「息の根を止める」ということではなく、社会から「抹殺」させて「息の根を止める」こともあり得る。このように、サイバー攻撃は「戦い」の考え方すらも変えていく。

そしてそれを先導しているのは、サイバー大国であり、大統領選のように大規模なサイバー攻撃の被害も受けるアメリカである。

現在、世界はコンピューターでつながっている。そしてその傾向が、年々強くなっていくことは、もはや止めることのできない潮流だ。すでに述べたが、第４次産業革命をもたらすと言われている5Gの世界では、２０３０年までに５０００億個のＩｏＴ機器が世界中で接続されることになると言われている。政府や市民の生活はますますデジタル機器とサイバー空間に依存することになる。そして、個人がそれを望まなかったとしても、回避することはできない。なぜなら、私たちが気づかないままに、社会や生活がネットワークに接続されてしまうからである。

自動車は自動化されて常にネットワークにつながることで、速度や不具合などは瞬時に自動監視するサーバーによって対応がなされる。病院で薬を貰えば、きちんと決められた量を正しく服用しているのかがネットワークで管理される。携帯電話から家電、食事から健康管理、仕事からプライベートまで、すべてがネットワーク化されるだろう。

そういう世界に向かっていく中で、戦闘の形が変わっていくのは必然なのである。

現在、世界でサイバー空間を支配するのはアメリカだ。そこで次からは、サイバー戦場の中心にいるアメリカの国家としてのスタンスに迫ってみたい。

北朝鮮のミサイルはアメリカがマルウェアで落としていた!?

２０１７年3月22日、北朝鮮は東部沿岸にある元山（ウォンサン）付近から、弾道ミサイルを発射した。だが発射から数秒以内に爆発し、発射テストは失敗に終わった。４月5日には、東部ハムギョン南道シンポ付近から、弾道ミサイルを発射。アメリカ太平洋軍によれば、このミサイルの飛行時間は9分以下で、40マイル（64キロ）ほどの位置に落下。発射実験は「失敗」に終わったとみられている。

発射実験の失敗はこれだけではない。実は北朝鮮は同年4月16日と29日にも、弾道ミサイルを発射したが、いずれも失敗している。２０１６年にも２０１５年にも頻繁に失敗していることが判明している。特に、北朝鮮が開発した中距離弾道ミサイルであるムスダンの発射実験の失敗率は88％と非常に高くなっていた。

北朝鮮のミサイル発射実験でしばしば起きていたこうした失敗例は、実は単なる偶然ではないといったら、皆さんはどう思うだろうか。

アメリカがイランのナタンズ核燃料施設に「オリンピック・ゲームス」作戦でサイバー攻撃を行った事実は、前章で触れた。その成功を受けて、当時のオバマ大統領は、攻撃の矛先を北朝鮮にも向けようとした。イラン同様に、アメリカと対立する北朝鮮でも核開発が進められていたからだ。

2010年頃以降、オバマ政権内でその作戦が動き出したと、筆者は米軍関係者から耳にした。だがイラン作戦時には、イラン国内に協力者を多数抱えているイスラエルなどが米国に協力を行ったが、北朝鮮に関してはそうはいかなかった。世界から孤立し、あまりにも封鎖された国だけに、協力者の確保は難しかったのである。また、国内があまりデジタル化されていないことも問題だった。結局、オバマは北朝鮮の核関連施設へのサイバー攻撃を断念せざるを得なかった。

その後も北朝鮮の核開発問題が続く中で、「戦略的忍耐」という対北朝鮮政策をとったオバマは有効な対策を取れないでいた。

そんな中、2014年頃から、アメリカは新たな作戦に乗り出した。当時アメリカに留学中だった筆者も、その動きについてこう聞いていた。オバマ政権は、「Left-of-launch（発射寸前）」と呼ばれる作戦に乗り出していたのである。この作戦は、北朝鮮がミサイルを発射する前と発射した直後に、ミサイルそのものをサイバー攻撃などで破壊するというものだ。この作戦名は、横軸の図にした際に、ミサイル発射時点を中心として、左から右に発射の時間軸の線を書くと、発射前は左側（Ｌｅｆｔ）になる。そんなことから、左側のうちに破壊するという意味で使われる。

この攻撃を具体的に説明すると、ミサイルをコントロールするコンピューターシステムやセンサー、そのほかミサイル発射に必要なネットワークをサイバー攻撃するというものだ。発射装置のコントロールをマルウェアなどで妨害したり、無効化したり、発射台のシステムを不正に操作して破壊する工作もある。さらにはミサイルシステムの指示系統や制御を発射前に電磁パルス（ＥＭＰ）によって機能不全に陥らせる方法もあると伝わっているが、後者については筆者は懐疑的である。

こうしたアメリカのサイバー攻撃により、ミサイルは予想外に海に落ちたり、軌道を大きく外れたり、空中分解してしまったケースもあったと米軍は見ている。もちろん発射実験の失敗例の中にはサイバー攻撃と無関係のケースもあるようだが、間違いなく米軍はサイバー攻撃によって、対北朝鮮のミサイル破壊工作を成功させているのである。

この話は、当時からアメリカが国家の安全保障のあり方について、サイバー攻撃を選

G20の際に対峙したロシア・プーチン大統領と米オバマ大統領。お互い険しい表情だ
提供：Russian Presidential Press and Information Office／TASS／アフロ

択肢のひとつにしていたことを示す好例だと言えよう。多くの日本人は知らないが、世界ではこうした作戦が実際に行われているのである。

一方で、この章の冒頭では、2016年米大統領選の際にロシアからサイバー攻撃を受けたことに触れた。

オバマは、大統領選選挙の投開票まで数カ月ほどしかない時期に、ロシアによるサイバー攻撃の報告を受けていた。それを踏まえて、2016年9月、オバマは中国で開催されたG20杭州サミットの場で、ロシアのプーチン大統領に直接、詰め寄った。プーチンとの立ち話で、「恫喝」したのである。身長185センチのオバマは、170センチのプーチンに、厳しい表情で上から見下ろすようにこう詰め寄った。

「何をしているのかわかっている。止めないと、どうなっても知らないぞ」

プーチンはそこで、「証拠を出せ」と反論した。その上で、アメリカもロシアの内政に干渉しているではないか、と指摘したという。緊張が走ったが、立ち話はそれで終わったらしい。

その翌月、米国土安全保障省と米国家情報長官室がロシアの犯行を公式に表明。また大統領選終了後の12月、オバマ政権はロシアの外交官35人と家族に対して国外退去を命じるなど制裁措置を発表している。

もっとも、プーチンの言い分には一理ある。アメリカはこれまでもロシアに対してサイバー攻撃を実施してきているからだ。過去にリークされた米機密情報によれば、例えば2011年だけを見ても、アメリカは231件のサイバー攻撃を他国に対して行っているが、そのうちの4分の3は、イラン、中国、ロシア、北朝鮮を標的にした攻撃であったことが判明している。またアメリカは、世界中ですでに数多くのパソコンやインフラのシステムなどを支配下に置いているとも言われており、ロシアももちろん対象になっている。

事実、オバマはロシアの外交官らを国外退去処分にするのと合わせて、ロシアのインフラにサイバー兵器を埋め込む許可を出している。この兵器とはどういうものかというと、消息筋によれば、「爆弾と同じようなデジタル兵器であり、ロシアとの緊張関係が高まればアメリカが爆発させることができるようにするものだ」という。有事のための準備として、サイバー攻撃を行ったということだ。この「準備」は、世界中で積極的に動くサイバー国家である中国やロシアなども実施している工作である。

その反面、政治や経済、軍事でも世界最強の国家であるアメリカは、サイバー攻撃で世界の標的になっている。ホワイトハウスのリポートでは、2018年にサイバー攻撃がアメリカ経済にもたらした損害は1090億ドルにも達すると言われている。それは世界をリードするサイバー大国としての宿命なのかもしれない。アメリカは世界中で最もサイバー攻撃を実施している国であり、世界で最もサイバー攻撃を受けている国でもあるのだ。

この事実こそが、現在のサイバー空間を象徴しているといえよう。

最初のサイバー攻撃は1988年に起きていた

そんなアメリカは、いかにしてサイバー大国になったのか。

そもそもインターネットを開発したのは、外でもないアメリカだった。1962年8月、米マサチューセッツ工科大学（MIT）のJ・C・R・リックライダーが、誰でもどこからでも、すぐデータやプログラムにアクセスできるコンピューターを世界的に相互接続するという構想「インターギャラクティック・コンピューター・ネットワーク」というコンセプトを思いついた。所属を国防総省の研究機関、ARPA（米高等研究計画局、後のDARPA）に変えたリックライダーは、その構想を実現させるべくプロジェクトを開始した。UCLA（カリフォルニア大学ロサンゼルス校）と、スタンフォード大学の研究機関だったスタンフォード研究所（SRI）、またカリフォルニア大学サンタバーバラ校とユタ州のユタ大学も研究に参画し、それぞれの機関のコンピューター4台を接続させることに成功した。それが「ARPANET（米高等研究計画局ネットワーク)」となった。これこそが最初のインターネットだった。

そしてインターネットは大学や政府機関などをはじめ、徐々に拡大していく。それに伴い1986年には早くもコンピューター不正行為防止法が制定されたが、その2年後の1988年11月には最初のサイバー攻撃とも言われるケースが発生。マルウェアがアメリカのネットワーク上に拡散され、1000万ドル規模の損害を出した。これこそが、「サイバー攻撃」時代の幕開けと言われ、世界がインターネットの負の側面(危険性)を初めて認識した事件だった。

90年には、10代の若者で構成されるオランダのハッカー集団のメンバーが米軍の組織に侵入して、国防総省内の海軍司令部や陸軍の即応システム、兵器開発や装備の移動についての詳細情報にまでアクセス。さらにパトリオットミサイルや海軍のトマホーク巡航ミサイルの情報を大量に入手し、戦地の情報をやり取りしていた電子メールにまでアクセスしていた。

さらにこの年、それまで基本的に政府関係や教育機関、軍またはそれらに準ずる活動以外では認められていなかったインターネットの一般の商用利用が始まると、インターネットは急激な普及を遂げることになった。

それに伴い、このようなサイバー攻撃と呼べるような不正アクセスや、マルウェア感染によるコンピューターの機能不全なども多数報告されるようになっていく。

利便性が高まるにつれ、セキュリティリスクが高くなり、大きな事件が立て続けに発生したのだ。1994年には世界中の100カ所から、ニューヨークにある米空軍のローム研究所が150回もの不正侵入を受けた。犯人はイギリス在住の16歳の少年だった。フランスの核実験に反対する世界初の「ハクティビスト（ハッカーとアクティビストを足した言葉）」もイタリアで誕生し、1995年に世界初のDDoS攻撃が行われた。この攻撃では、フランス政府機関のウェブサイトがダウンする事態になった。同年、ロシア人ハッカーが米金融機関シティバンクのシステムに侵入し、他人の口座から1070万ドルを不正送金する事件も発覚している。

こうしてサイバー空間は、サイバー紛争の時代に突入していくことになる。

1999年には、「ムーンライト・メイズ」と呼ばれる、米軍を狙った悪意のあるサイバー軍事作戦が発覚する。ロシアによって行われたこの攻撃は、米軍に気づかれないまま2年以上にわたって続いていた。国防総省をはじめNASA（航空宇宙局）、大学や研究機関などに設置されていた数百のコンピューターが被害に遭い、侵入者は暗号技術や契約書、戦争計画のプランニングシステムといった何千ものファイルを奪った。

当時、アメリカはJTF－CND（コンピューターネットワーク防衛統合任務部隊）を設立している。自衛を最大の目的とし、発足当時は、現場の戦闘部隊や諜報部隊から選抜された24人がメンバーとなった。2000年には名称を、JTF－CNDからJTF－GNO（グローバル・ネットワーク作戦統合任務部隊）に変えている。

2003年には米軍などを狙った、タイタン・レインと呼ばれる中国による大規模なサイバー攻撃が発覚。陸軍航空ミサイル軍の兵器廠《しょう》がサイバー攻撃で突破されたり、防衛情報システム局やミサイル防衛局、米陸軍情報システム・エンジニアリング司令部や海軍海洋システムセンターなども、軍事技術を盗む目的でサイバー攻撃にさらされた。

こうした不穏な攻撃がどんどん増える中、2009年には当時のロバート・ゲーツ国防長官が、国防総省で核兵器や弾道ミサイル、宇宙戦略を担う米戦略軍(USSTRATCOM)にサイバー軍の創設を指示した。それまで米戦略軍で防衛を中心に担当してきたJTF－GNOと、攻撃を担ってきたJFCC－NW（ネットワーク戦闘統合構成部隊）が中心となって米サイバー軍を構成した。その翌年5月、NSA長官だったキース・アレクサンダー陸軍大将が、米サイバー軍の初代司令官に就任したのである。

6000人強の部隊を指揮するサイバー軍

当初から、アメリカのサイバー作戦を担っていたのは、NSAだった。というのも、もともとNSAは、第二次大戦中から盗聴などによる情報活動を行ってきたスパイ機関であり、彼らがインターネットなど通信ネットワークで、サイバー攻撃やハッキング、侵入工作などを行うのは自然な流れであった。もっとも、ハッキングで相手のシステムに入り込むことができれば、スパイ工作も破壊工作もどちらも可能になる。

NSAは数多くのアメリカ屈指のハッカーたちを擁しており、世界中でサイバー攻撃を繰り広げている。だからこそ、NSA長官とサイバー軍の司令官は、ずっと同じ人物が兼務することになっている。どちらの本部も、メリーランド州にあるフォート・ミード基地に置かれている。

アメリカのサイバー攻撃は、米サイバー軍とNSAが一緒になって実施している。表向き、サイバー軍が作戦の立案などの部分を担当し、NSAが米サイバー軍のために技術的な部分を担うということになっている。ただ現実には、NSAが実際の工作を行っており、先に触れた「オリンピック・ゲームス作戦」でもNSAが作戦を実施している。

政策面では、ジョージ・W・ブッシュ大統領時代の2003年に「サイバー空間を守る国家戦略」が発表されて、サイバー攻撃からインフラを守り、速やかに攻撃に対処することを確認。その5年後となる2008年には、「包括的国家サイバーセキュリティ構想」が開始され、サイバーセキュリティへの取り組みが徐々にまとめられた。2011年になると、オバマ政権は「サイバー空間の国際戦略」を発表し、国防総省も「サイバー空間作戦戦略」を公表。サイバー空間を、陸、空、海、宇宙に次ぐ作戦領域として定め、国家全体としてサイバーセキュリティ戦略に取り組み、人材の育成や同盟国との協力強化などを提唱した。

また同年、米軍は秘密裏に、自分たちの所有する武器弾薬のリストに初めてサイバー兵器を含めている。サイバー兵器とは、サイバー攻撃ツールで、コンピューターで作られたマルウェアなどを指す。初めて、サイバー兵器の使用条件や使用法が、他の武器同様に明記されたのである。

オバマはさらに、2012年に、アメリカのサイバー戦略の中でも過去最も重要なものだったと言われる「大統領政策指令20（PPD20）」に署名している。攻撃的サイバー工作についての指令となるPPD20は、他国などへのサイバー攻撃には大統領の承認が必要であると定め、その上で、敵国でサイバー攻撃を実施できるターゲットをリスト化しておくよう命じた。対象は、中国やロシア、イラン、北朝鮮などである。ハッキングで、国家の重要なシステムやインフラなどを支配下に置くためだ。

また同指令では、「オリンピック・ゲームス作戦」のように、サイバー攻撃を実施している事実を対外的に認めない理由は、「望ましくない基準」を作りたくないからだと主張している。つまり、米軍などのサイバー攻撃が原因で、「サイバー攻撃でどこまでの破壊行為を行っていいのか」という国際的な行動規範を作ってしまうことがないように注意すべきだと促している。仮に米軍が他国の電力網をサイバー攻撃で無効化して国家機能を失わせたとすると、国際的に「アメリカがそこまでやるなら、同レベルの攻撃は許されるだろう」と前例を悪用する国も出てくるかもしれない。そういう事態が起きる可能性を考慮すべきだと、この政策指令は注意喚起しているのである。

こうした流れを引き継いだトランプ大統領は、就任してしばらくしてから、政府の方針をシフトさせた。政権内部にいたサイバーセキュリティ専門の補佐官などのポストを次々と無くしたのである。その上で、２０１７年にサイバー軍を独立した統合軍に格上げし、２０１８年９月には、トランプ政権のサイバー政策を発表。オバマ時代のＰＰＤ20で明確にした、サイバー攻撃の際の「大統領の承認」という規定を緩め、「国家安全保障大統領覚書（ＮＳＰＭ13）」に署名することで現場に攻撃の裁量を与えた。いわゆる「武力行使」や、人の死や大規模破壊、経済混乱を起こさないようなサイバー攻撃であれば、軍は自由にサイバー攻撃を行えることになった。縦割りの攻撃手続きを取っ払い、米軍が他国などへより迅速かつ頻繁にサイバー攻撃を実施できるようにしたのである。

そしてその任務を仕切っているのは、２０１８年４月に米サイバー軍司令官に就任したポール・ナカソネ陸軍中将だ。日系三世であるナカソネはＮＳＡの長官も兼務する。

現在、米サイバー軍では、約２７００人が米軍のネットワークを守るための「サイバー・プロテクション・チーム」に配置され、８００人ほどが「ナショナル・ミッション・チーム」で国内の主要産業を狙ったサイバー攻撃に対処する役割を担っているという。

また海外に派兵される米軍部隊などへのサポートを行う「コンバット・ミッション・チーム」は約1600人とされ、こうしたチームが60人ほどのグループに分かれ、それぞれ任務に当たっている。国防総省は2018年5月までにサイバー部隊員数を6200人に増員し、作戦チームの数を133にまで増やす目標を達成している。サイバー軍の予算も2016年度は4億6600万ドルだったのが、2018年度は6億1000万ドルに増えている。

NSAには、3万5000人の職員が働いている。以前はNSAの凄腕が集まる部門といえば600人規模のTAO(テイラード・アクセス・オペレーションズ)だったが、現在は「NSA21」と呼ばれる組織改編により、攻撃と防御を融合させた「コンピューター・ネットワーク・オペレーションズ」という組織に変わっているという。北朝鮮でミサイル発射を妨害するサイバー攻撃を行ったのも、このTAOだとされる。

このように組織化された世界最強のサイバー部隊は、現在、どのような攻撃を行っているのだろうか。基本的に、アメリカのサイバー攻撃はトップシークレットとされ、ほとんど表に出ることはない。ただ、「オリンピック・ゲームス作戦」や中間選挙などのように、漏れ伝わっている工作もあるので、いくつか紹介しよう。

恋人同士の裸の写真も見られている！
アメリカが運用している監視システム

オバマ米大統領は２０１６年４月13日、バージニア州のＣＩＡ本部でスピーチを行った。

その中でオバマは、シリアとイラクでのＩＳ（いわゆる「イスラム国」）との戦いについて、「私たちのサイバー攻撃作戦は、ＩＳの指揮系統とコミュニケーションを崩壊させている」と驚きの発言をしたのだ。

何の変哲もないコメントに思えるかもしれない。だが実のところ、これは歴史的な発言なのである。というのも、米大統領の口から史上初めて、アメリカが攻撃的なサイバー作戦を国外で実施していると認める言葉が出たからだ。

実際、オバマ政権の最後の年、政府関係者も少しずつ、米国の攻撃的なサイバー工作についてコメントをするようになっていた。

オバマ発言の数カ月前、アシュトン・カーター国防長官は、ＩＳに対するサイバー攻撃に言及。次のように述べている。「ＩＳの指揮系統の阻止や妨害によって、彼らは自分たちのネットワークが信用できなくなる。彼らのネットワークに過剰に負担をかけ、機能を奪う。指揮系統への妨害によって、人や経済のコントロールを阻害する」。

ただそれ以上は、「敵に知られると困るから」との理由で語らなかった。

当時、筆者の取材に米ワシントンDC在住のある専門家は、「カーターは２０１５年に、中国やロシア、イランや北朝鮮に対するサイバー攻撃に重点を置いている米サイバー軍に、ＩＳに打撃を与えるような攻撃的サイバー作戦を進めるよう指示を出しています」と話していた。

攻撃方法は、例えば、フィッシングメールでマルウェアを仕込んだ添付ファイル付きの電子メールを送ったり、〝水飲み場型攻撃〟と呼ばれる手法も使われているという。

水飲み場型攻撃とは、標的がよく訪れるウェブサイトを秘密裏に改竄《かいざん》して、標的がそのサイトにアクセスした際にウイルスなどのマルウェアに感染させる手法だ。２０１２年から世界中で確認されている攻撃で、日本の中央官庁も被害に遭っている。

そうやってＩＳメンバーのネットワークに侵入したあとは、マルウェアを埋め込むなどして、仲間の連絡先やメッセージ、書類などを盗み出す。そうすることで敵の所在や行動パターンなどを把握し、その情報を現地で米軍と手を組むイラク軍や、クルド人部隊などに提供して、ISに対する攻撃のサポートを行っていると見られている。敵の動きを完全に掌握してしまうのである。

最近では、テロリストでも暗号化機能をもつメッセージングアプリを使用している者が圧倒的に多いという。事実、ISは戦闘員に暗号化ソフトの使用を推奨しているくらいであるが、米軍のサイバー部隊はそこにも問題なく斬り込んでいた。前出の専門家は、「米サイバー軍には、暗号化アプリを使った人物を特定する技術がある。それによって、その人物の通信がどこの通信インフラを経由しているのかが把握できるので、インフラをサイバー攻撃などで機能不全にする」と言う。そうすれば、標的は暗号化ソフト以外の手段で連絡を行わざるを得なくなるために、その人物の通信に「侵入」できるようになるのである。

また、以下のようにサイバー攻撃を報復に使う例もある。2014年11月にカリフォルニア州カルバーシティにあるソニー・ピクチャーズ エンタテインメントのオフィスがサイバー攻撃を受けた。朝に出社してコンピューターのスイッチを入れたスタッフの前には、真っ赤な骸骨のイラストと、「ハッキングされた」「お前の秘密と極秘情報を含むすべての内部データを獲得した」との文字が映し出された。そして社内のコンピューターが動かなくなってしまった。現代では、ほとんどの企業でコンピューターがなくなれば仕事にならない。しかもソニー・ピクチャーズでは俳優の健康状態や評価、ギャラ、スキャンダルなど、同社の幹部が電子メールなどでやり取りしていた情報がことごとく盗まれた。

さらに、まだ公開前の映画のデータなども盗まれていた。その中には、北朝鮮の最高指導者を暗殺するという内容の、公開直前の映画『ザ・インタビュー』もあった。

実はこのサイバー攻撃は、『ザ・インタビュー』の公開をめぐって、北朝鮮が激怒して実施したものだった。

この攻撃に対して、アメリカ側は北朝鮮に対して反撃のサイバー攻撃を行い、しばらくの間、北朝鮮のネットワークが完全に遮断されるという事態に陥った。以前から監視を続け、有事に向けいつでも攻撃を行えるようにしていたアメリカにとって、インターネットが大して普及していない北朝鮮に対するサイバー攻撃は、朝飯前といったところだっただろう。さらにアメリカ政府は、ソニーへの攻撃を理由に、北朝鮮に史上初めて、サイバー攻撃への報復措置として経済制裁を科した。

アメリカが行うサイバー攻撃では、CIAと協力して進められる作戦も少なくない。「オリンピック・ゲームス作戦」でも明らかになった通り、サイバー攻撃やハッキングだけではアクセスできない標的も、もちろんある。そういう場合は、CIAが標的になんらかの手段で接近または接触し（USBメモリを駆使するのもその一つである）、マルウェアをインストールしたり、インストールの手助けをする。こうした活動は、「ブラック・バッグ・ジョブス」と呼ばれており、これまで少なくとも100件以上の作戦が実施されていると言われる。この仕事を担当するのは、スペシャル・コレクション・サービス（SCS）と呼ばれるCIAとNSAのジョイントチームで、その本部オフィスはフォート・ミード基地の近くに置かれている。

このSCSは、冷戦時代から世界各地で盗聴作戦に従事してきた組織で、決して新しいものではない。現在は世界65カ所の大使館または領事館に拠点が置かれ、最近ではサイバー攻撃の協力も積極的に行っている。モスクワやパリ、ローマから、アブダビ、カイロ、イスタンブール、アジアではバンコクからマニラ、台北までをカバーしている。

2013年にドイツのアンゲラ・メルケル首相をはじめドイツ高官らの125件の電話番号が、アメリカによって10年にわたって盗聴されていたことが発覚して問題になったが、それを実行していたのはこのSCSだとされる。

監視といえば、アメリカのNSAは、世界中の人々のネット上での活動を監視できるとんでもなく大規模な監視プログラムを運用していたことも明らかになっている。「プリズム」と呼ばれるそのシステムでは、米国で電子メールサービスなどを提供する大手IT企業などが、NSA職員らにユーザーのメールのやり取りを見られるようにしていた。また「エックスキースコア」と呼ばれる監視プログラムでは、電子メールやインターネット検索、サイトの訪問履歴、チャットや保存されているドキュメントなど、おおよそ一般的にユーザーが携帯やインターネットで扱うすべての情報を、日本も含む世界150カ所の収集拠点で集めていた。

その収集拠点では何百万人という人たちのデータが盗み取られ、最大で5日間、サーバーに保存される。つまり明日になれば5日前のデータは削除されるが、新たに明日の分が今後5日にわたり保存されるという仕組みだ。メタデータ(ファイルなどの基本情報データ)については、30~45日にわたって保存されており、さらに、どのウェブサイトをどんな人が訪問したか、といった情報もわかるようになっていた。集められたデータのほとんどは、NSAのエックスキースコア・システムで検索や閲覧ができるようになっており、まさに治安当局専門の「グーグル」のようなもので、個人情報がパソコンで調べ放題になっていた。

この監視プログラムは、元CIAの内部告発者のエドワード・スノーデンによって2013年に暴露されたものだ。サイバー空間での人々の活動を、許可なく徹底監視する。しかも、スノーデンによれば、NSA職員らはこうしたシステムを使って他人のプライバシーを覗き見ていたとも指摘している。どこかの恋人同士が送った裸の写真なども勝手に見ていたという。

スノーデンはNSAのコントラクター（請負職員）として東京・福生市にある米軍横田基地などに勤務していた経験がある。そして当時、日本のインフラにもマルウェアを埋め込んだ経験があると述べているという。

これらはアメリカ政府による国家ぐるみのサイバー攻撃である。まさに、サイバー大国であるアメリカの実態だと言えよう。

こうした攻撃と併せて、防御の面では、2018年にトランプ大統領がサイバーセキュリティ・インフラストラクチャ・セキュリティ庁（CISA）という組織を、米国土安全保障省の中に設置している。今後はこのCISAや国防総省などが中心となって、米国内の政府機関システムやインフラなどを守っていく。

さらに米国では、産業ごとに民間団体がそれぞれに合ったサイバー攻撃対策も行っている。

国防総省では一風変わったサイバー安全保障の「プロジェクト」も行っている。「バグ・バウンティ・プログラム」というものだ。

これは国防総省のシステムにある脆弱性《ぜいじゃく》（セキュリティの穴）を一般のハッカーらに見つけてもらおうという取り組みだ。脆弱性を見つけたハッカーらは賞金を受け取ることができる。2016年にスタートしたこのプログラムは、2018年終わりまでに3000個の脆弱性を見つけ出し、合計で数十万ドルの賞金が支払われている。1万ドルを超える賞金を受け取った者もいる。

筆者は少し前に、アメリカで行われた国防総省関係者を招いた小規模の勉強会に参加したことがある。その30人ほどの集まりには、アシュトン・カーター元国防長官や有名大学の著名な教授なども出席していた。実はこのバウンティ・プログラムはカーターが在任中に始めた試みであり、勉強会ではカーターの下で米連邦人事管理局（ＯＰＭ）のプログラムに携わった国防総省関係者が次のように話をした。

「もともとは、２０１５年にＯＰＭがサイバー攻撃され、連邦職員２２１０万人以上の個人情報が中国に盗まれたことが契機になっています。盗まれた個人情報には、連邦職員のプライベートな情報のみならず、ＣＩＡが局員の入局に際して調べあげた個人情報なども含まれていたといいます。莫大な予算をサイバーセキュリティに落としているにもかかわらず、です。ハードもソフトも、対策をしていたのに、です。私が属している国防総省（ＤｏＤ）だけで、３２０万人の連邦職員がＯＰＭのネットワークを使っている。

この件が起きた際に、ＤｏＤの関係組織に属するアメリカでもトップクラスの有能なハッカーが、私に電話をしてきた。そして、ＯＰＭのサイバー攻撃について、政府があまりに無能だと文句を言ってきた。しかもカネも何もいらないから、政府のサイバー対策をしようか、とまで申し出たのです。なぜなら、ダメな政府のせいで自分自身の情報や研究まで漏れたらかなわん、と言うのです。それを機に、このプロジェクトを始めようと決めたのです」。

カーターも「本当にＤｏＤにとっても、政府にとっても初めての試みで、私は迷わずにゴーサインを出した」と口を挟んだ。

これも国を守るための重要なサイバー戦略なのである。

こうしたサイバー攻撃や対策こそが、現代の「戦争」のひとつの形である。世界でもアメリカのように様々なサイバー工作を積極的に実践している国は、ロシアや中国などに限られるが、中でも中国は、ここ近年サイバー能力で特に力を付けてきている。

次章では中国のサイバー戦略について取り挙げる。

第4章

世界を襲う中国ハッカー軍団

すべてを盗み尽くす軍人ハッカーたち

65％の台湾人の個人情報が中国に握られている

2018年10月、筆者は台湾の台北市にいた。

言うまでもないが、台湾は中国南東にあるタイワン島を中心とした地域のことを指す。台湾は中華民国政府が支配し、台湾を含めた地域をひとつの中国であると主張している中国大陸の中華人民共和国とは複雑な関係性にある。現在においても、台湾を国家として扱う国に対しては、中国政府は直ちに激しい抗議を行っている。

米大手ホテルチェーンのマリオット・インターナショナルが2019年1月に、あまり深く考えずに台湾を独立した国家のように扱った際には、激怒した中国当局が同ホテルの予約サイトなどを1週間閉鎖するよう命じる事態になった。同ホテルは直ちに詫びを入れ、訂正。ちなみに同チェーンは中国国内に100以上のホテルを運営している。

そんな台湾だが、実は、中国から日常的に激しいサイバー攻撃を受けている。そこで中国のサイバー攻撃の実態を探るべく、様々なサイバーセキュリティ関係者に取材を行うために台北を訪れたのだった。

台北では、約1カ月後に迫った統一地方選挙に向けた選挙戦が連日ニュースを賑わせていた。そして2016年の米大統領選でロシアが選挙介入したように、台北でも中国のサイバー攻撃による選挙への介入が起きると懸念されていた。

あるサイバーセキュリティ企業の経営者は、当時、台湾の与党が反中の民進党であることを踏まえ、「今回の選挙で中国は、サイバー攻撃やフェイクニュース拡散による介入だけでなく、親中の政党に様々な形で密かに資金を提供して親中派が躍進するよう、これまで以上に積極的に動いていたことが確認されています。いわゆるデュアル（サイバー空間と実世界）での工作です」と話した。

中国は、台湾の動向を常に注視しており、サイバー攻撃などで台湾人を徹底的に監視しようとしているという。

「中国は、台湾をサイバー攻撃の実験場所とみなしている」。

台湾でサイバーセキュリティを担う台湾行政院（内閣）の資通安全処（サイバーセキュリティ局）のオフィスで、サイバーセキュリティ局トップの簡宏偉局長はそう言った。

中国は、何か新しい攻撃方法があれば、まず台湾をサイバー攻撃して能力を試し、それをもとにして世界的に使っていくのだ、と局長は指摘した。

台湾行政院の庁舎は、台北市の中心部にあり、歴史を感じさせる古い建物だった。庁舎の狭い入り口から迷路のような廊下を抜け、エレベーターを上がり、さらに奥へ廊下を進むと、サイバーセキュリティ局はあった。サイバー攻撃が犯罪や安全保障の面で世界的に大きな問題になっている昨今、サイバーセキュリティ局は行政院の中でも重要なポジションにある。

簡局長によれば、台湾は毎月400万件ほどのサイバー攻撃を受けているという。そのうち、実際にセキュリティを突破されるのは30件ほどで、その中でもシステムに影響を与えかねない深刻なケースは2~3件もある。簡局長に言わせれば、「これらのサイバー攻撃のうち、8割は中国からのものだ」。

中国のサイバー攻撃は破壊行為が目的ではないと、簡局長は続ける。

「中国は特に、台湾政府や軍の機密情報を求めている。政府高官が政治的に何を考えているのかを知りたいからだ。そうした情報を参考にして、対台湾政策を決め、台湾市民を親中にするべく、サイバー攻撃などで世論を操作するなどの工作も行っている」。

簡局長は、有事に向けての準備も中国は実施していると言う。通信分野や鉄道、電力など台湾のインフラ分野のシステムにもマルウェア（悪意ある不正プログラム）が入り込んでいて、いざという時のための工作もしていると見られている。平時にはおとなしくシステムにとどまっているが、戦争になったら一斉に攻撃を開始することが懸念されている。

ではそうした工作を調べることはできないのだろうか。台北郊外でサイバーセキュリティ企業を経営する知人は、筆者のそんな問いに、こう答えた。

「システムにハッキングなどで工作が仕掛けられているかどうかを調べるには、今動いているシステムをある程度の期間ストップして調べる必要がある。例えば、電車などインフラのシステムをしばらくの間、止めることは難しいのです。まったく同じシステムを2つ持っていて、ひとつを止めて調べ、ひとつを代わりに稼働させるということができればいいのだけどね」。

さらにこんな攻撃もあった。２００8年、国家的に大規模なサイバー攻撃被害を受け、30以上の政府機関がハッカーらに侵入された。その被害がどれほどなのかもわからないほどの攻撃だったという。ただ攻撃者が中国の政府系ハッカーであることは確かだったと、前出のサイバーセキュリティ企業の経営者は語る。

「その2年後にサイバー犯罪グループが台湾で摘発されるのですが、彼らのコンピューターには、台湾人2300万人のうち、1500万人分の個人情報が保存されていたことが明らかになりました。しかもそれらの情報は、本土の中国人から購入したものだったのです。中国の国家系ハッカーが、カネ欲しさに台湾の犯罪者グループに横流ししたのです。それらの情報の中には、政府高官から政府関係者など、ほとんどの人たちの住所から個人の詳細データ、ネット検索の履歴などまで含まれていた」。

つまり、中国人の手元にも同じデータがあるということになる。

中国からのサイバー攻撃は、持続的標的型攻撃（APT）と呼ばれる攻撃が主流だ。狙ったターゲットをサイバー攻撃し、持続的に標的のネットワークに潜伏して情報を盗み続けるのである。

日本の警視庁にあたる台湾の内政部警政署で、サイバー捜査員を務めたハッカーに話を聞くと、

「中国政府系ハッカーの攻撃は、約90%がフィッシングメールなどの電子メールから始まる」と語った。「送り主や文面などを変えながら、執拗に大量のメールを送りつけて

くる。しかもセキュリティ対策ソフトなどがはじかないような手の込んだメールも送ってくるため、多くが被害者になってしまっている」。

仕事の求人に応募すると見せかけたり、上司や同僚、取引先に扮した電子メールに添付されたファイルを開いただけでマルウェアに感染させてしまう手口もある。また電子メールにあるリンクをクリックするとマルウェアに感染したり、そこで情報を入力するように求められることもある。あの手この手で、サイバー攻撃を仕掛けてくるのだ。

中国のサイバー攻撃はとにかく組織化されており、数多くのハッカーなどが関わっている。人口が多い上に、中国共産党という中央政府の強権的な統治により、国を挙げて人海戦術で世界中に大規模なサイバー攻撃を仕掛けていると分析されている。

世界最大のサイバー大国はアメリカだが、中国そしてロシアは、アメリカに次ぐサイバー攻撃大国だと言っていい。台湾サイバーセキュリティ局の簡局長が言うように、大規模な破壊工作を実施したケースはあまりなく、ほとんどが機密情報を盗んだり、監視活動をしたり、民間企業などからは知的財産を盗む、といった目的である。また敵国や敵国の企業に、レピュテイション・ダメージ（評判の失墜）を与えるためのサイバー攻撃も行う。ただ長期的に見れば、こうした攻撃も相手に経済的ダメージを与えることになるため、ある意味では「破壊工作」ではないかと指摘する専門家もいる。

世界中から情報を盗み出す やりたい放題の中国

では中国はいつからこうした攻撃を行っているのか。また現在の実力はどれほどのものなのか。

実のところ中国は、かなり早い段階で、デジタル化された情報が飛び交うサイバー空間の重要性を見抜いていた。

1988年には早くも、北京の国防大学で人民解放軍の軍人がサイバー戦の重要性を教えていたことが確認されている。この軍人は、中国で「インフォメーション・ウォーフェア（情報戦争）」の父と評される、著名な軍人である沈偉光大佐。当時、彼が授業で語っていた内容が記録に残っている。

沈大佐は、「戦略的なインフォメーション・ウォーフェアの目的は、敵の政治的・経済的・軍事的な情報インフラと、社会全体の情報インフラを破壊することだ。また敵の軍事や金融分野の通信コミュニケーション、電子技術、電力システム、コンピューター・ネットワークを破壊・麻痺させることでもある」と語り、「もはや、国家のみが戦争への扇動者と言えなくなる可能性がある。未来のネットワーク化された世界では、すべてのマイクロチップが武器となるかもしれない。すべてのコンピューターが効果的な戦闘部隊になる能力をもっている。すべての一般市民が宣戦できるコンピューターのプログラムを書くようになるかもしれない」とも述べている。

共産党中央軍事委員会では、１９９７年にはサイバー分野のエリート組織の設置を決定している。同時期に、中国が国外で不当に扱われていると怒る民間の「愛国ハッカー」と呼ばれる中国人たちが、日本や東南アジア諸国へサイバー攻撃を仕掛けるようになる。日本の閣僚が靖国神社を参拝するたびに、中央省庁を中国からのサイバー攻撃が襲うようになったのもこの頃である。

中国は２０００年には１５０万ドルと言われる予算で、「ネット・フォース」と呼ばれるサイバー攻撃部隊を創設した。既出の内政部警政署の元サイバー捜査員は、「この頃から台湾への攻撃が急増するようになった」と語る。

その後はアメリカを中心に、軍のネットワークや民間企業へスパイ目的のサイバー攻撃を激化させていく。第3章で述べた「タイタン・レイン」では、アメリカの軍事分野が標的になり、大量の機密情報が盗まれたことが明らかになっているし、2010年には「オーロラ作戦」という当時衝撃を持って受け止められたサイバー攻撃事案が起きている。

「オーロラ作戦」では、米IT大手グーグルが主要な標的だった。グーグルはこの年、人民解放軍につながりのある中国系ハッカーによる激しいサイバー攻撃に見舞われていると公表。それを理由として、中国市場から撤退すると発表して大ニュースになった。

グーグルの言い分によれば、この攻撃によってグーグルは深刻なハッキング被害に遭い、中国政府系ハッカーに内部システムへ侵入されてしまったという。

米NSA（国家安全保障局）の元幹部であるジョエル・ブレナー氏は著者の取材に、グーグルが世界に誇る検索エンジン技術の「ソースコードが、中国に盗まれてしまった」と語っている。また米ニューヨーク・タイムズ紙のデービッド・サンガー記者も、中国は盗んだグーグルのソースコードで「今は世界で2番目に人気となっている中国の検索エンジンである百度（バイドゥ）を手助けした」と指摘している。つまり、グーグルから盗んだ技術を自国の企業に渡し、国内で我が物顔でビジネスをしているのだという。

中国系企業の台頭の裏では、こうしたサイバー攻撃によるスパイ行為が下支えしてきたと見られている。最近筆者が話を聞いたＣＩＡ（米中央情報局）の元幹部は、中国の民間企業の多くは、政府つまり中国共産党や、人民解放軍とつながっていると断言している。

この「オーロラ作戦」では、グーグル以外にも金融機関のモルガン・スタンレーや、ＩＴ企業のシマンテックやアドビ、軍事企業のノースロップ・グラマンなど数多くの企業が中国側からの侵入を許したと報じられている。結局、グーグルはこの騒動の後、中国本土から撤退し、オペレーションを香港に移した。

２０１５年になると、米連邦人事管理局（ＯＰＭ）から連邦職員２２１０万人分の個人情報を盗み、Ｆ－22やＦ－35などアメリカが誇る高性能戦闘機の設計図までもハッキングで手に入れている。中国によるこうしたハッキングなどのサイバー攻撃は、枚挙にいとまがないほどだ。

そこで、ここ数年に中国が世界的に行った国家的なサイバー攻撃を挙げてみたい。忘れてはいけないのは、ここで紹介する事例はあくまでおおやけに判明しているものだけであるということ。実際にはもっと多くの攻撃が行われていると考えていい。

■2017年4月……中国がアメリカや欧州、日本の政府機関および建設・エンジニア・航空・通信企業に対し、サイバー攻撃によるスパイ工作を強化しているとサイバーセキュリティ企業が報告

■2017年4月……韓国がアメリカの弾道弾迎撃ミサイル・システムTHAADを配備すると2月に発表したことに反発して、中国はサイバー攻撃で韓国の軍や政府のコンピューターシステムおよび、防衛産業のネットワークにハッキングで侵入しようとしたことが発覚

■2017年7月……東南アジア各地の政府に対して、中国は600種以上のマルウェアを使ってサイバー攻撃を行っていることが暴露される

■2017年9月……国際的テクノロジー企業の少なくとも20社のパソコンを管理するツールに、中国がマルウェアを感染させていたことが明らかになった

■2017年10月……アメリカに亡命状態にある中国人富豪の郭文貴が関係する法律

事務所や米シンクタンクに対してサイバー攻撃を実施

■２０１７年11月……米大手格付け会社ムーディーズの子会社で、経済情報を扱うムーディーズ・アナリティックスのエコノミストに、２０１１年からハッキングして経済情報を盗んだことや、同様に全地球航法衛星システム（ＧＮＳＳ）の開発を行っている米ニコン・トリンブル社にもハッキングを行っていたとして、中国人３人が司法省に起訴される

■２０１８年１月……エチオピアに拠点を置くＡＵ（アフリカ連合）の本部コンピューターシステムから機密情報が上海に送信されていることが判明。このシステムは、中国政府が華為技術（ファーウェイ）製の機器やケーブルなどを使って設置したものだった

■２０１８年７月……フィンランドで行われたドナルド・トランプ大統領とウラジーミル・プーチン大統領の米露首脳会談の準備期間に、フィンランド国内のＩｏＴ（もののインターネット）デバイスへ中国からのハッキング攻撃が激増

■２０１８年７月……カンボジアで行われた総選挙で、候補者らに中国がハッキングして監視をしていたことが明らかに。また政府機関や選挙管理委員会、議会も標的に

なっており、政治家やメディア関係者、人権活動家なども監視されていた
■2018年7月……シンガポールの国家的な医療システムが、中国からとみられるハッキングで内部情報や患者データなどを盗まれる。その中には重病説のあったリー・シェンロン首相の情報も含まれていた
■2018年11月……中国ハッカーらによる英エンジニア企業へのスパイ行為が発覚。ハッカーらが身元をわからなくするためにロシア製のサイバー攻撃ツールをわざと使っていたことも明らかに
■2018年12月……中国ハッカーがEUの通信システムに侵入していたことが判明。過去数年にわたって、機密である外交公電にアクセスしていた
■2018年12月……中国政府が過去12年にわたって12の国々で企業の知的財産などを盗むサイバースパイ・キャンペーンを実施していたとして、アメリカやオーストラリア、カナダ、イギリス、ニュージーランドが非難。関連して中国政府系ハッカー2名を、数百ギガ規模のデータを盗んできたとして起訴した
■2019年2月……2016年に国連の国際民間航空機関が中国ハッカーに侵入されていたことを暴露

■２０１９年２月……航空機メーカーのエアバスが欧州の職員の個人情報やＩＤ情報が中国ハッカーに盗まれていたことが判明

■２０１９年２月……ノルウェーのソフトウェア会社ビスマが、顧客情報を盗もうとした中国の国家安全部に関連のあるハッカーらに侵入されていた

■２０１９年３月……インドネシアの選挙管理委員会は、大統領選と総選挙を前に、中国ハッカーらがインドネシアの有権者データベースをサイバー攻撃で精査していたと報告

■２０１９年３月……中国ハッカーがアメリカの少なくとも27の大学を攻撃し、軍事関連のテクノロジーに関する研究などの機密情報を盗もうとしていたことが発覚

■２０１９年４月……人権団体のアムネスティ・インターナショナルの香港事務所が、中国ハッカーによって同団体の支持者らに関する情報を狙ったサイバー攻撃を受けたと発表

■２０１９年５月……中国の情報機関などのハッカーが、ＮＳＡから盗んだとされる極秘のハッキングツールを２０１６年から使用していたことが判明。それらを使って世界中でハッキングを行っていた

そのほか、これまでに世界各地で中国によるサイバー攻撃が確認され、非難されている。直近で言えば、2019年に勃発した香港での大規模デモが挙げられる。香港では、多くの住民による積年の反中国の流れを背景に、香港政府による「逃亡犯条例」の改正案が物議を醸していた。この改正案では、香港で逮捕された人たちを中国本土へ移送できるようになることから、市民からは大きな反発が出た。それが、香港都市部の市街地をデモ隊が埋め尽くすほどの大規模な抗議活動に発展した。そして、デモに関わった人たちがやりとりに使っていたスマートフォンの暗号化通信アプリ「テレグラム」などのサービスを妨害するようなＤＤｏｓ攻撃が中国本土から行われたと指摘された。こうした安全が売りのアプリも、中国のような国家の手にかかれば、侵入されてしまう可能性があるというのがセキュリティ関係者の間では常識である。

繰り返すが、米政府関係者らが言うように、中国では政府も軍も民間もない。すべて一蓮托生なのである。このリストを見れば、欧米諸国のみならず、アジア諸国なども、中国のサイバー攻撃に対して非難を続けている理由がわかるだろう。

では、これほどの広範囲に大規模な攻撃を次々と行える中国のサイバー部隊とは、一体どれほどの規模なのか。

軍事費の27％をサイバー部門につぎ込み
官民合わせて約22万人規模に

中国のサイバー攻撃を担ってきたのは、人民解放軍総参謀部の第3部（3ＰＬＡ）と第4部（4ＰＬＡ）だ。3ＰＬＡの中には12の局があり、対象国などによって振り分けられている。例えば、日本と韓国を担当するのは山東省青島市に拠点を置く第3部4局だ。ただ中国にとって最も重要な標的は、やはり他ならぬアメリカ。第3部2局はアメリカを中心に、北米地域に対する攻撃を担当している。この集団は別名「61398部隊」と呼ばれていた。

この61398部隊は、サイバーセキュリティ関係者の間では非常に有名な部隊だ。この部隊はＡＰＴで時間をかけて、米ニューヨーク・タイムズ紙の記者やスタッフを監視しており、プライベートなパソコンにも侵入していたケースがあった。当時の温家宝首相の一族が、権力を盾にして怪しいビジネスに手を出し、いかにして私腹を肥やしてきたかを暴露する記事を担当していた記者も、ハッキングの被害に遭っていた。部隊のハッカーらは中国政府のスキャンダルに関する書類を探していた。セキュリティ会社による調査が行われると、ウォールストリート・ジャーナル紙やワシントン・ポスト紙までも、この部隊に監視されていたことが明らかになった。さらにアメリカの大学などを踏み台にして企業やインフラにも攻撃を行っていた。こうした事実を受け、FBI（米連邦捜査局）は2014年5月に、原発や鉄鋼関連企業をハッキングしたケースを事件化し、61398部隊の将校5人を名前や写真を晒して起訴した。アメリカ史上初めて、他国の政府系ハッカーをサイバー攻撃の犯人として起訴した画期的なケースである。

また日本を標的にしているハッカーらも存在する。セキュリティ会社から「APT3」という名で呼ばれることもあるハッカーらは、2016年に日本の大学など学術界や製薬会社関連、米国にある日本の製造業の子会社などを標的にした。笹川平和財団やホワイトハウスなどの公開されている電子メールのアドレスを勝手に使って、スピアフィッシング・メール（正規のメールに見せかける不正メール）をばらまいて、侵入を試みた。そうしたメールには、例えば、「なぜトランプは当選したのか.docx」というファイルが添付され、実行するとマルウェアに感染してしまうものもあった。またホワイトハウス関連のメールアドレスから、２０１６年の米大統領選の２日後に「[UNCLASSIFIED] The impact of Trump's victory to Japan（非機密：トランプの勝利が日本に与える影響）」というタイトルのメールもばらまかれていた。研究者なら、思わず開いてしまうことだろう。

だが６１３９８部隊の暴露と起訴などによって、中国のサイバー工作はもうそのままでは存在できなくなってしまった。手の内を晒されてしまったからだ。

そこで中国では、２０１５年からサイバー分野で、本格的な組織の再編が始まった。政府は人民解放軍戦略支援部隊（ＳＳＦ）を創設し、サイバースパイ工作からプロパガンダ、破壊工作まで、中国のサイバー戦略を包括的に取りまとめることになったと見られている。ＳＳＦの中でもサイバー攻撃に特化している組織は、サイバー・コー（サイバー部隊）と呼ばれ、台湾の資通安全処の簡局長は、「中国のサイバー部隊は、今、アメリカのサイバー軍よりも大きくなっている。しかも年々、サイバー攻撃能力を高めている」と語る。その規模は、軍のサイバー兵士が7万人ほどで、民間から協力しているハッカーらは15万人ほどになる。合わせると22万人規模になる。さらに３ＰＬＡなどもサイバー・コーに組み込まれている。

台湾の内政部警政署の元サイバー捜査員によれば、中国政府系ハッカーの攻撃パターンについて、「非常に組織化されていることが特徴的で、まるで一般企業に勤めているかのように動いている」と分析する。潤沢な予算があるため、それぞれがデスクなどを与えられ、決められた「勤務時間」で働いていると分析しており、勤務体制は9時出社で5時に帰るといった形態で、ハッカーたちはちゃんと休暇も取っている。そんなことから、中国時間の深夜は、世界的にも中国からのサイバー攻撃が減る、とまで言われていたが、今では三交代で勤務しているらしい。

そんな中国だが、欧米の情報機関に長年勤めていたサイバースパイによれば、中国のサイバー部隊は想像以上に肥大化しているのだという。「現在、中国は軍事費の27%をサイバー部門に充てており、通常の兵器よりもサイバーに力を入れていると、欧米の情報機関は分析しています。そしていま、さらに新しいサイバー関連組織を構築しているとされています。そこには数百万人という人々が関わることになるのです。プロパガンダや世論操作などだけでなく、例えば気象局から天気予報士などもサイバーチームに引き入れて、天気予報の予想をサイバー攻撃で不正操作するための工作を行おうとしている。つまりインターネット、通信などサイバー空間を使ったありとあらゆる工作を行っている」。

既出の台北郊外でサイバーセキュリティ企業を経営する知人は、「中国政府系ハッカーらの能力は、最近かなりレベルが上がっている。こちらが対策しても、それを上回る攻撃を仕掛けてくるのです。本気で狙われたら太刀打ちするのは容易ではない」と話す。

では、中国政府系ハッカーの激しい攻撃に、被害国はなす術がないのか。

そんなことはない。アメリカは決して認めることはないが、中国に対してサイバー攻撃を駆使している。アメリカ政府系ハッカーらは、中国で数多くのコンピューターを支配下に収めているとも指摘されている。

そうした攻撃に加え、アメリカ政府は、P.120で記したようにアメリカを攻撃した政府系ハッカーらを被疑者不在のままの起訴という手段に出ている。また、北朝鮮のような国からのサイバー攻撃に対しては、経済制裁を科すなどして対処している。

とはいえこれらの反撃はあくまで見せしめだ。攻撃者を突き止め、逮捕まで至るのは実際には難しいのが現状だ。

アメリカ主導のルール作りに反発する中国とロシア

ここまで見てきたように、手のつけようのないほど至る所で頻発するサイバー攻撃に対して、世界共通の「決まり」「ルール」というものはないのだろうか。

サイバー犯罪については、ある程度の決まりごとはある。クレジットカード詐欺や児童ポルノといったサイバー空間を使った犯罪行為には、2001年に制定された「ブダペスト協定（サイバー犯罪条約）」と呼ばれる国際的な協定が存在する。これはサイバー空間における犯罪行為を定義し、それに従って加盟国に国内法の整備を促す条約であり、日本やアメリカをはじめ66カ国が批准している。

サイバー空間のルールを定めるものとして画期的な条約だと評価されているが、一方で中国とロシアは参加を拒絶して、その取り組みを非難すらしている。端的に言うと、中露は欧米による基準や規定を押し付けられることに反対している。

国家が介在するような犯罪を超えたサイバー攻撃の場合はどうか。

２０１１年、当時のオバマ政権は、「サイバー空間の国際戦略」を発表した。この戦略で初めて、アメリカはサイバー空間に国際法の基本的なルールが当てはまると明確に示した。米政府は、アメリカが敵国からサイバー領域で攻撃された場合は、国際法に則って、外交的、国際的、軍事的、経済的な手段を駆使して対処すると主張している。だがこの考え方にも、中露が賛同することはなかった。

また国連も、サイバー空間の国際的な規範を作ろうと取り組んできた。国連は２００４年からサイバーセキュリティ政府専門家会合（ＧＧＥ）を設置。２０１７年の第５会期では25カ国の専門家メンバーが、米主導で国際法の枠組みの中でサイバー空間の規範を作るべく議論を始めた。だがこの取り組みも失敗。これまで一貫して西側諸国が規範策定で主導権を握るのを警戒してきた中国やロシアが、ここでもＧＧＥによる最終報告を拒否したからだ。

実は中露はこれまで、米国主導のルール作りに反対するのみならず、自分たちが独自にまとめた行動規範を国連に提出している。その中で中露は、西側諸国が主張している国際法の適用には触れず、サイバー空間のための新しいルールの必要性を主張。また国家が国内の情報を統制する権利と責任をもつべきだと主張する。有り体に言えば、国家による独裁的なインターネットの監視や検閲を正当化する趣旨であり、現行の国際法や人権法とは違う独自の決まりを作るべきだと提案している。

結局、国際的な基準などはいまだに存在していない。国家間の安全保障やスパイ行為、テロ、破壊行為などに関わるサイバー攻撃については、実態は今も無法地帯だと言える。

繰り返すが、基本的にアメリカをはじめとする西側諸国は、既存の国際法に則って、サイバー攻撃を扱うべきだと主張している。だが中国やロシアは反発。米国や欧米にサイバー空間で主導権を渡さないよう、対抗する姿勢を隠さないでいる。現在に至るまでも、同じ価値観を共有する行動規範のような決まりは存在していない。ここに中露と西側諸国の覇権争いが存在しているのだ。

ただそんな状況にあることから、アメリカは以前より、必要ならばバイ（2国家間）での合意を目指すという方針も示している。これにはサイバー空間で欧米主導の包括的な合意を望まない中国なども合意を拒んでいない。

例えば米国と中国は2015年9月に、お互いに、商業的な目的で知的財産などをサイバー攻撃で盗まないことで合意している。それ以降、中国からの米国に対する攻撃は劇的に減ったと米セキュリティ企業幹部は述べていた。またインターポール（国際刑事警察機構）の関係者も筆者の取材に、中国の攻撃が減っていることについて、「不気味に感じています。本当に数が減っているのか、見えていないだけなのか……」と話した。

　中国は２０１７年６月、カナダとも同様の合意を結んでおり、これまで英国やオーストラリア、ブラジルとも合意に達している。ちなみにロシアとは、どんな形であってもお互いにサイバー攻撃をしないという合意を結んでいる。


　日本もできればこういう合意を中国と結びたいはずだ。しかしながら、その可能性は限りなく低いだろう。なぜなら中国からすると、サイバー攻撃の能力がない日本とは、こうした同意を結ぶメリットがないからだ。自分たちが攻撃はしても、攻撃される心配がない。つまり日本は一方的にやられるだけで、なんとも情けない話なのである。

　もっとも、米中の合意は、２０１８年末に事実上崩壊しており、その背景には米中貿易摩擦が悪化し始めたことがある。中国側からのハッキングも数多く確認されるようになったと、トランプ政権のサイバー担当幹部は語っている。

海底ケーブルから直接情報を収集

最後に、今後の中国の戦略について見ていきたい。中国が行っているサイバー攻撃は人海戦術で徹底して行われている。一説には少なくとも2014年から、中国は先進国の重要人物らにサイバー攻撃などでアクセスできるよう、データベースを構築しているとされる。米連邦人事管理局への攻撃や、個人情報が約125万件も盗まれた日本年金機構に対する2015年のサイバー攻撃なども、そうしたデータベース構築に使われていると考えるのが自然だ。例えば、中国政府系ハッカーが日本の政治を操作したいと考えれば、どんなケースが考えられるか。それについては第8章で詳しく見ていくが、日本年金機構から奪ったこの個人情報を活用することが十分に想像できる。

中国は今、2015年に発表した「中国製造2025」という国家プランに向けて動いている。簡単に言うと、これまで世界の工場だった中国が、イノベーションを起こせるような国に変貌するための計画、ということだ。データ通信やAI(人工知能)などの分野で世界をリードすべく、国を挙げて動いているのである。もっとも、この計画はアメリカの逆鱗《げきりん》に触れ、貿易摩擦や中国製の通信機器排除といったアメリカからの厳しい対中措置を招くことになった。

要するに、アメリカは本気で中国を脅威に感じ、潰そうと考えているのである。そこにうまくはまってしまったのが、アメリカが２０００年代から中国の情報機関とのつながりを警戒してきたファーウェイなどの通信機器企業だった。事実、アメリカのＮＳＡは２００９年からファーウェイの創業者である任正非をハッキングして、監視していた。「ショット・ジャイアント」という名のその作戦により、２００２年の段階で米議会はすでに、ファーウェイがアメリカにとって脅威であると、政府や民間などに注意喚起を行っていた。そしてアメリカ政府は、ファーウェイを政府機関から徐々に締め出していった経緯がある。

そんな中の２０１７年、中国企業と個人に情報活動への協力を強制する中国の国家情報法が絡み、アメリカは中国を完全に敵視することになった。

国家情報法には第7条で、個人や企業は政府の情報活動に協力しなければならないと定めており、第14条では情報機関側は国民に協力を求めることができるとされている。

つまり、政府は国内の情報を、国民や企業などから強制的に収集することが可能になったのである。もちろんその前にも似たような決まりはあったが、この情報法で明文化されたのだった。

アメリカはそれまで、中国が市場開放などによって西側の価値観に近い開かれた国になるという淡い期待をもっていた。だからこそ、経済的にもつながりが強くなりつつある巨大市場をもつ中国と、うまく付き合おうとしてきた。だが「中国製造2025」がその流れを変えてしまったと言える。米中の覇権争いは、サイバー空間での両国の動きも密に絡んでいる。

2018年末、カナダ当局は米政府の要請によってファーウェイの副会長兼CFO（最高財務責任者）だった孟晩舟被告を逮捕したが、これもアメリカから中国への強烈なメッセージとなった。米政府は、孟がアメリカの対イラン制裁に違反したとして起訴しているが、これは取ってつけたような容疑であり、核心は中国で経済やイノベーションを牽引し、政府のスパイ工作を手伝っているとも指摘されるファーウェイの台頭をねじ伏せようとする米政府の圧力だ。

こうした動きに合わせて、アメリカの政府系のサイバーチームなども中国に対して正

2018年12月に逮捕されたファーウェイCFOの孟晩舟氏（左、写真は保釈時）。現在は米への身柄引き渡しを巡り予備審理が行われている　写真：AP／アフロ

体がわからないような形で複雑なサイバー攻撃を実施しており、中国側の動きなどを監視している。中国は自分たちこそサイバー工作の被害者だと喧伝し、２０１８年には１日平均８億件のサイバー攻撃を受けていると発表したが、アメリカから数多くの攻撃が行われているのは間違いない。

そしてもう一つ、中国が狙っている領域がある。海底ケーブルである。中国政府は海底ケーブルの事業を拡大しようと目論んでいる。

そもそも、海底ケーブルにはどんな重要性があるのか。

世界のインターネット網は今、ほとんど

が光ケーブルによってつながっている。これは陸上または大陸間（つまり海中）のどちらについても言える。大陸間でデータが行き交う国際通信では、衛星などではなく、99%が海底に敷かれた海底ケーブルが使われる。

そして現在、世界では、378本の海底ケーブルが使われている。ただこの数字は、新しいケーブルが完成したり、古いケーブルが引退するなどして変動することが多い。海底ケーブルは、長さで見ると、120万キロほどが世界中の海底に敷かれている。衛星よりもコストパフォーマンスがよく、通信も安定していることから、私たちのインターネット通信は海底ケーブルが支えていると言ってもいい。

ただそんな海底ケーブルにはリスクがある。国家的なスパイ工作に使われる懸念がつきまとっているのだ。国際電話など通信に使われた電話線の時代から、海底を走る通信ケーブルは諜報機関によって盗聴されてきた歴史がある。古くは第二次大戦以降から、米国とソ連が海底ケーブルで盗聴合戦を繰り広げてきた。

最近でも、米政府による海底ケーブルを使った情報収集活動を、米機密文書を盗み出して暴露した元NSAおよびCIAのエドワード・スノーデンが明らかにしている。「アップ・ストリーム」と呼ばれる米政府のスパイ工作では、海底ケーブルが陸のケーブルなどとつながるポイントで、データを大量に抜き取っていた。

実はこうした米国のスパイ活動が明らかになった際、すべてのデータが米国の光ケーブルを通ってから国に届いていた南米のブラジルは、米国からデータを監視されていたことに気がついた。ブラジルは公然と米国を非難し、その後に米国を通らない独自の海底ケーブルの敷設を発表した。ブラジルからポルトガルなどを結ぶこの海底ケーブルは、２０２０年からサービスが開始される予定だ。

余談だが、こうした国家間の争いに巻き込まれたくない民間のＩＴ大手グーグルは、２０１０年から米ロサンゼルスと千葉を結ぶ海底ケーブルや、ロサンゼルスと南米チリを結ぶ海底ケーブルを次々に完成させている。独自のインフラを確保しているのである。

中国は、海底ケーブル網を、現代版のシルクロード経済圏構想「一帯一路」計画の重要な要素と考えている。そしてここでも登場するのがファーウェイだ。中国が誇るファーウェイの子会社であるファーウェイ・マリーンを使って、海底ケーブルのシェア拡大に向けてビジネスを推し進めているのである。中国の海底ケーブルが世界中を走るようになれば、スパイ行為も自在に行われてしまうと、米国は警戒している。

ただファーウェイの悪評はすでに世界に広まり、欧米からは懐疑的な目で見られている。そこで2019年6月、ファーウェイはファーウェイ・マリーンを売却すると発表、中国の政府に近い別の企業に同社を売り渡すとした。このことは、ファーウェイという冠をおろしてでも、海底ケーブル事業は継続したいという中国の意思が見える。

欧米側は中国の海底ケーブルのビジネスに、これまで以上に目を光らせることになるだろう。

第5章

悪の枢軸

ならず者たちのサイバー空間

ハッキングされて漏れてしまった金正恩の抹殺計画

「今、日本は大変危険な状態にあります」

２０１８年、サイバーセキュリティ企業に協力する欧米の元ハッカーは、筆者にそんな告白をした。この人物はハッカー集団を率いており、サイバー攻撃を未然に防ぐ目的で、世界中の悪意あるハッカーたちが巣くうダーク・ウェブの闇コミュニティに潜入し、攻撃の動向や情報を徹底的に調べる業務を手助けしている。そんな地下の世界で、日本をターゲットにする工作が最近目立っているのだと指摘した。

「日本のメーカーが製造・販売する社会インフラの制御装置のソースコード（プログラムの設計データ）が丸々盗まれていることを把握しました。盗んだハッカーは、闇の掲示板でそのソースコードを使って、ハッキングができたら懸賞金を出すと募集していたのです。結局、その制御装置のシステムは攻略され、マルウェア（悪意ある不正なプログラム）が仕込まれました。今、その制御装置はいつでも再侵入やサイバー攻撃を行える状態になっています」。

　しかもこの制御装置は、日本各地にある社会インフラの施設で使われており、その数は多すぎるために把握できないほどだという。つまり、この装置を使っている日本中のインフラ施設がサイバー攻撃に対して丸裸状態にあり、すぐにでも攻撃を受けて大混乱を巻き起こすかもしれないのである。この元ハッカーはその企業について、ビジネス上の理由で明らかにできないと言うが、「クレジットカードのサービスなどに関連する会社」であることまでは教えてくれた。

　とはいえ、そんなインフラへの攻撃が現実に起こり得るのか。実は過去を振り返ると、インフラへの攻撃は世界各地ですでに何度も起きている。第2章で述べた「オリンピック・ゲームス作戦」はまさにその一例であるし、ロシアはウクライナの電力網を二度もサイバー攻撃して大規模停電を起こしている。サイバーセキュリティ関係者の間では、こうしたサイバー攻撃はいつどこで起きてもおかしくないとの共通認識がある。

　さらにこの元ハッカーはこう続けた。「この工作をしたのが、北朝鮮のハッカー集団であることも把握しています」。

　北朝鮮と言えば、世界でも珍しい、金王朝によって継承されている独裁国家であり、

「ならずもの国家」としても知られている。

2011年、建国の父である金日成の孫で、金正日の三男である金正恩がトップに就任。金正恩は、先代から引き継いだ核兵器の開発を継続させ、核実験や度重なるミサイル発射実験などで世界を震撼させてきた。外交的な手法も先代から変わらず、基本的には瀬戸際外交。国民には極貧生活を強いながら生きながらえている。

2017年にドナルド・トランプがアメリカ大統領に就任してからも、核開発・ミサイル発射などの切り札を駆使しながら、アメリカの大統領と直接的な舌戦を展開してきた。トランプが金正恩を「ロケットマン」「国民を飢えさせても殺しても意に介さない明らかな狂人」と挑発すれば、金正恩は逆にトランプを「精神に異常を来した米国の老いぼれ」「おじけづいた犬がさらに騒がしく吠えている」とやり返した。

度重なる挑発行為に、アメリカや国連は対北朝鮮の経済制裁を強化した。

追い詰められた金正恩は、朝鮮半島の統一を目指す韓国の左派大統領である文在寅を取り込み、2018年の平昌冬季五輪に参加したのをきっかけに、韓国を巧みに使いながらシンガポールで歴史的な米朝首脳会談を実現させた。その後も、ベトナムのハノイや、韓国と北朝鮮の軍事境界線で、トランプと金正恩は三度にわたって顔を合わせた。

とはいえ、非核化を目指した交渉は一向に進展していない。

そもそも、北朝鮮は核開発をやめるつもりは毛頭ない。筆者が以前、朝鮮総連の関係者に話を聞いた際にも、北朝鮮は核兵器なしに国として生き残ることはできないと考えていると言っていた。そしてアメリカが核兵器を所有するのは認められ、北朝鮮はダメだという不公平な論理は成り立たないとも主張していた。また金正恩がリビアのムアマル・カダフィ大佐の政権が崩壊したのは、核兵器開発に失敗したためだと見ているというのはよく知られている。もう一つ付け加えると、かつて核兵器を所有していたウクライナは、安全のためにロシアに核兵器を預けたことで、後に侵略されたという歴史があることも、北朝鮮はよくわかっているという指摘もある。

現在では経済制裁をなんとか解除させるべく全力を捧げている金正恩であるが、彼が後継者に就任する前から力を入れていた分野こそが、サイバー攻撃だった。

北朝鮮のサイバー能力は、アメリカや中国、ロシアなどには劣るが、決して低いわけではない。韓国国防技術品質院（ＤＡＴＱ）は北朝鮮が米太平洋軍を麻痺させたり、米国の電力網をサイバー攻撃で破壊できる能力があると分析している。

事実、これまでもサイバー分野で歴史に残るような大胆な攻撃を実施してきた実績がある。2017年にランサムウェア（身代金要求型ウイルス）の「ワナクライ」が世界的に大きな話題になったが、米英政府は北朝鮮人民軍とつながりのあるハッカー集団「ラザルス」の犯行だと見解を発表している。

それ以外でも、北朝鮮は2014年に米ソニー・ピクチャーズを攻撃し、大量の内部情報などを盗んだ上に社内コンピューターの7割を破壊している。2015年からは、金銭目的の大規模なサイバー攻撃にも乗り出している。インド、ベトナム、タイ、イラク、ケニヤ、ナイジェリア、ポーランド、ウルグアイ、コスタリカなどセキュリティが甘い途上国の金融機関を次々と攻撃。2016年にはバングラデシュ中央銀行からサイバー攻撃で8100万ドル（約92億円）を奪っているし、2018年5月にはチリ中央銀行から1000万ドルを盗み出すことに成功している。さらに同年8月にはインド最古のコスモス銀行から1350万ドルが盗まれている。

また数年にわたって、韓国の重要な軍事機密も盗み出している。実は米軍は韓国軍とともに北朝鮮を先制攻撃し、金正恩を抹殺するという「OPLAN（作戦計画）5015」を2015年に取りまとめている。この「5015」は、それまで長く存在していた「ＯＰＬＡＮ５０２７」という米韓の先制攻撃計画をアップデートしたものだ。ところがこの「５０２７」が北朝鮮のサイバー攻撃によって、韓国のシステムから盗まれていたことが判明している。つまり、対北朝鮮攻撃の作戦内容の一部が北朝鮮に把握された可能性が高いとされた。それによって、米国家安全保障会議（ＮＳＣ）は、この計画の調整を余儀なくされている。

ちなみに北朝鮮が実施したサイバー攻撃の手法をひとつ紹介しておきたい。なぜなら、この手法は今も世界中のサイバー犯罪者たちが使っている手口であり、日本の企業にとっても決して無関係ではないからだ。第3章で触れた、ソニー・ピクチャーズに対する攻撃で使われた手口だ。

北朝鮮ハッカーらは、彼らがよくやる攻撃である「就職活動」を装ったスピアフィッシング・メールをソニーハックでも使った。実際に北朝鮮ハッカーが使っていた「bluehotrain@hotmail.com」というアカウントから送られた偽メールは、こんな具合だった。

〝Dear ○○○,

私は南カリフォルニア大学の2年生で、デジタル制作におけるグラフィックデザインに興味があります。

Mr.XXXから、あなたに問い合わせるよう聞きましたのでメールしています。

ソニー・ピクチャーズ エンタテインメントはその卓越性で知られ、革新的でクリエイティブなデザインへのこだわりは印象深く私の心に残っています。

私はデザイン・クラスでも優秀な生徒で、GPA（成績平均点）は4・0（満点）を維持しており、入学後すべての学期で成績優秀者向けの奨学金を受けています。

自分に自信があり、貴社でも貴重な存在になれます。

私の履歴書と作品集に目を通していただければ幸いです。

これがリンクです：http~~~

ご返信をお待ちしております。

Sincerely, クリスティナ・カーステン〟


もちろん、「○○○」「XXX」も実在の人物である。SNSなどで名前や役職を調べて本物のメールのように偽造する。従業員を募集している企業なら、こうしたメールが来たら間違いなくリンクをクリックしてしまうだろう。この履歴書や作品集を見るためのリンク先をクリックすると、マルウェアに感染してしまう仕組みなのだ。

マルウェアに感染すると、北朝鮮側にパスワードなどの情報が送られ、攻撃者はそれを使って不正ログインしてパソコンなどを乗っ取ることができる。そこから怪しまれないような電子メールなどを、さらに幅広いアクセス権限を持つ職員に送りつける。そうした攻撃を繰り返し、内部に潜入して社内アカウントを管理するところまで入り込めれば、あとは社内システムの中で、情報を盗むだけでなく、公式サイトやツイッターのアカウントすら乗っ取ることも可能になってしまう。

ソニーの事件では、映画作品そのものや財務書類だけでなく、企画書や俳優のギャラ、健康状態などをやりとりしている社内メールなど大量の内部情報が盗まれ、さらに多くのパソコンがデータを消されるなどの破壊を受けた。実は筆者の知人も、当時同社で被害に遭っている。サイバー攻撃が起きたのは２０１４年だが、その2年前まで知人は同社で働いていた。しかし、北朝鮮ハッカーは過去に働いていた職員の個人情報も盗んでネット上で公開したため、この知人はクレジットカード番号や銀行口座番号などすべて変更を余儀なくされたと嘆いていた。

話を戻そう。北朝鮮の最高指導者に就任した金正恩は、2015年1月に軍事戦略についての重要な発言をしている。金正恩は2017年12月までに「5大兵器」を完成させるよう命じた。その5大兵器とは、「水素爆弾」「ICBM（大陸間弾道ミサイル）」「SLBM（潜水艦発射弾道ミサイル）」「核背嚢《かくはいのう》（＝リュックサック型の放射能兵器）」、そして「サイバー兵器」である。

ただSLBMの開発は大幅に遅れたため、「完成できない原因は忠誠心が低いからだとして、黄炳瑞軍総政治局長が処罰された」という。一方で、サイバー兵器は、ここまで見てきたいくつもの攻撃のように、金政権を救うような貴重な作戦ツールとなっている。

北朝鮮サイバー部隊 人民軍偵察総局121局の実力

2017年暮れ、筆者は韓国を訪れた。北朝鮮のサイバー工作に精通する脱北者や、実際にサイバー攻撃に関与していた脱北者などについて取材するためだ。

朝は氷点下にもなる12月末のソウルは、凍てつくような寒さだった。脱北者の張世律に会ったのは、ソウルから車で1時間ほど行ったところにある北西部の田舎町だ。取材場所に指定されたのは、彼が責任者をしているこぢんまりとした白いペンションだった。周囲は雪で覆われ、冬場は開店休業状態とのことで宿泊客はいなかった。

従業員らしき女性に通され、テーブルや椅子などが部屋の端に積み上げられた広い食堂で待っていると、約束の時間から10分ほど遅れてダークグレーのジャケットを着た張が姿を現した。

張はフローリングの床にあぐらをかいた状態で座り、インタビューに応じてくれた。浅黒い顔が印象的な張は、話をする間は少しうつむき加減で、笑顔は少なく決して愛想がいいとは言えない。だがこちらの質問にはよどみなく淡々と話をしてくれた。北朝鮮の軍部出身ということもあるのか、非常に落ち着いた雰囲気だった。

張は朝鮮人民軍の傘下にある美林《ミリム》大学を卒業し、長年軍のプログラマーを務めた人物だ。北朝鮮のサイバー部隊について精通している。2008年に脱北しているが、現在も学生時代から寝食を共にした北朝鮮ハッカー兵たちとつながりをもつ。

「金正恩はサイバー攻撃にかなり力を入れています」と張は言う。「金正恩は、核・ミサイル実験で国際社会から経済制裁を受けることははじめから百も承知です。サイバー攻撃でかなりの額を稼いでいることが、制裁に対してまだ強気でいられる理由のひとつになっています」。

では、北朝鮮のサイバー能力とはどれほどの実力なのか。

筆者の取材では、北朝鮮のサイバー工作は、人民軍偵察総局の121局が担う。その兵力は、高い能力をもつハッカーが1800人ほどで、彼らをサポートするチームを合わせると、サイバー部隊は全体で6000人規模になるという。ちなみに日本の防衛省が抱えるサイバー防衛隊の兵力は、現在220人ほどで、今後1000人に増やす予定でいる。サイバー防衛隊は自衛隊と防衛省を守るために存在する部隊だが、規模は北朝鮮に遠く及ばない。

張がインタビューの間に唯一、相好を崩したのは、北朝鮮のサイバー部隊121局がいかに厚遇されているのかを語った時だった。

金正恩はサイバー部隊に対して最上級の待遇を与えているという。金政権は、全国の小学校で科学や数学の成績、また分析能力などの分野で優秀な生徒を早い段階で吸い上げ、平壌市内にある中学や高校で学ばせる。その後は、国立の金日成総合大学や金策工業総合大学などで2年間のさらなる訓練を受けさせ、中国やロシアに有給で研修にも送り出す。北朝鮮の外から、実際に人民軍のサイバー攻撃作戦にも加わって経験を積むという。

選ばれし者だけが加わることのできる121局のハッカーたちは、平壌で優先的に80坪のマンションを与えられ、家族も平壌に呼び寄せることが許される。隊員は申し分ない給料を受け取り、海外で暮らすチャンスも与えられ、利用が厳格に制限されているインターネットにも自由にアクセスが許される。金正日総書記が生前に治療を受けていた最高級の病院を家族は利用することができ、子供たちも最高レベルの学校に入れることができる。張は、「北朝鮮では、コンピューター系に強い人たちなら、誰もが121局に入るのを夢見ているよ」と言う。

そんな精鋭たちがサイバー空間で暗躍し、金正恩政権を陰で支えているのである。ハッカーたちは標的にした相手を直接サイバー攻撃することもあれば、地下インターネットに潜ってツールを得るなど攻撃の準備を行うケースもある。サイバー攻撃は、他国への妨害・破壊工作として、核やミサイルよりもコストが断然低くて済む。さらに経済制裁が強化される中、外貨獲得手段としても武器や麻薬を扱うよりもリスクは低い。

世界から孤立し、テクノロジーの分野で置いていかれているというイメージの強い北朝鮮だが、実はサイバー戦略の歴史はそれなりに古い。冷戦末期の1998年ごろに北朝鮮は技術者たちに、ロシア人専門家らによる教育を行った。その後は、技術者を中国に留学させるなど、中国の支援を受けるなどして部隊となっていったという。そして手始めに、韓国軍の機密情報を盗む工作に力を入れていた。2003年と2009年には、韓国に対してサイバー攻撃で大規模な妨害工作を成功させ、当時その「戦歴」を評価した金正恩が、サイバー部隊の拡充を命じた。現在では、軍事予算の10～20％がサイバー部門に割かれているとされる。

121局がターゲットとして重要視している敵国は、韓国とアメリカ、そして日本の3国だ。ハッカーたちは対象国ごとに班で分けられ、金融機関や原発など対象分野でも個別の部隊が存在する。韓国を攻撃するチームが最も大所帯だという。

北朝鮮で偵察総局に所属していたという別の脱北者によれば、「121局は日本にも人を送り込んでいる」と話す。「2016年に、日本を担当する隊員たちが中国のパスポートで日本に入国したのを知っている。ただ詳しい任務内容は残念ながら不明だ」。

韓国当局にも北朝鮮についての情報提供をしているこの脱北者は、さらにハッカーたちが国外でどのように任務を行っているのかについて、「少し前まで中国で接触していた偵察総局のハッカーは、貿易会社の社員を装ってハッキング任務に当たっていた。この会社では社員15人のうち４人が偵察総局のハッカーだった」と話す。最近では、北朝鮮のサイバー攻撃部隊は、中国のみならずタイやインドでも数が増えているという。

日本では２０１４年、インターネットへの接続を中継する「プロキシ（代理）サーバー」がサイバー犯罪などに悪用されている疑いがあるとして、中国人11人が逮捕されている。日本のある公安関係者は、「日本のプロキシサーバーを経由すれば、サイバー攻撃は日本から来ているように見えてしまう。北朝鮮の部隊が日本に入っているとすると、こうしたサーバーを作るといった『工作』などに動いている可能性がある」と指摘する。

サイバー攻撃は、プロキシサーバーを使うなどして攻撃者の身元をすぐには把握できないように工作もできる。例えばこんな例もある。ロシアの外務省は、２０１８年1月1日から9月30日までに、ロシア外務省ポータルサイトに７７００万回以上のサイバー攻撃が確認されたと発表している。しかも攻撃は、アメリカや日本などから来ていると。

こうした攻撃は、日本人が行っているとは言えない。日本のプロキシサーバーが踏み台にされたと考えていいだろう。

一方で、CIA（米中央情報局）のCISO（最高情報セキュリティ責任者）だったロバート・ビッグマンは、筆者の取材に、「北朝鮮は自分たちがサイバー攻撃をしていることを隠そうともしない。北朝鮮の攻撃は判明しやすいが、彼らはそれでいいと思っているようだ」と述べている。「北朝鮮では、政府と軍の区別がない。北朝鮮は政府のエンジニアも平壌大学の学生も、サイバー攻撃能力があれば、攻撃に動員される。『これをやれ！』と」。

ハッキングで世界中から仮想通貨を強奪

とにかく北朝鮮は、国を挙げてサイバー攻撃に力を入れている。別の脱北者の金興光も、「10年前から日本に対しては重要機関の情報を盗んだり、パソコンやシステムにマルウェアを埋め込んだりしている。2015年ごろからは日本の政治家などをハッキングしたり、盗聴するなどして日本の情報を盗んでいる」と話す。金は２００３年に脱北するまで北朝鮮の咸興コンピューター技術大学でコンピューター技術を教え、サイバー兵士を育てていた人物だ。取材当時、北朝鮮のサイバー情勢などについてのリポートを韓国政府に提供したばかりだったと言った金は、今も脱北者とのつながりが強く、インタビュー中もそういった人たちからひっきりなしにスマホに連絡が入っていた。

そして金は、「北朝鮮はサイバー攻撃で年間10億ドルほどを稼いでいる」と指摘した。この額は北朝鮮が輸出で1年間に儲ける額の3分の1にも相当するという。だが〝稼ぐ〟とはどういうことか。

北朝鮮が金融機関をサイバー攻撃し、金を強奪していることはP.１４０で触れたが、近年、標的として狙いを定めているのが仮想通貨だ。

２０１８年、日本の仮想通貨取引所であるコインチェックから５８０億円相当の仮想通貨が盗まれて大きな騒動になった。このコインチェックへの攻撃は、国連やサイバーセキュリティ企業などによれば、北朝鮮によるものだと指摘されている。

現在はセキュリティ会社に勤める元ホワイトハウス関係者は、著者に「世界の金融機関などを狙った最初の波から、仮想通貨を狙う第2の波（セカンドウェーブ）が到来したという認識だ。北朝鮮にとって、仮想通貨を狙うのは理にかなっている。制裁で経済活動が封じられていても、仮想通貨なら匿名で〝買い物〟ができる。盗んだ仮想通貨を現金にできなかったとしても、支払いには使える。つまり制裁を逃れることが可能になるのだ」と語っている。

また最近、北朝鮮政府が、理系の大学として北朝鮮屈指の平壌科学技術大学などに、仮想通貨に精通している外国人専門家たちを招聘《しょうへい》している。2013年ごろから仮想通貨の研究を始めたとの見方もあるくらいだ。

この「セカンドウェーブ」と言われる北朝鮮が仮想通貨を狙う動きは、2017年から韓国を相手に表面化している。まず4月に、韓国の仮想通貨取引所である「Yapizon（ヤピゾン）」がハッキング被害を受け、約16億円が盗まれる事件が発生する。この攻撃は北朝鮮の仕業だというのが大方の見方だ。

その後も、北朝鮮の仮想通貨への攻撃は続く。6月には、韓国の大手仮想通貨取引所「Bithumb（ビットサム）」からユーザーのパスワードなどの会員情報約3万6000人分がサイバー攻撃で盗まれ、約650万ドルが奪われている。9月には仮想通貨取引所「Coinis（コインイズ）」が21億ウォン（約2億円）を盗まれた。

また12月には、４月にサイバー攻撃を受けて名称を変更していた「Youbit（ユービット＝元ヤピゾン）」が、同取引所の所有する仮想通貨の17％に当たる170億ウォン（約17億円）を奪取され、破産した。

基本的に北朝鮮による仮想通貨への攻撃手口は、取引所に勤務する特定のターゲットに偽メールを送りつけるスピアフィッシング攻撃や、水飲み場攻撃（攻撃対象者がよくアクセスするインターネットのサイトを改ざんして、アクセスするだけでマルウェアに感染させる攻撃手法）などで始まる。そしてユーザーのＩＤやパスワードを盗む。また取引所の関係者のふりをして電話で認証コードを聞き出すという手口も報告されている。さらには、取引所などに就職目的で願書を送ったり、税務関係のファイルを送るなどしてハッキングを行ったケースも報告されている。

この手口は、同じ２０１７年に英国の仮想通貨取引所が狙われたケースに当てはまる。存在しない偽の幹部募集の応募要項をダウンロードさせて、マルウェアに感染させようとしたのである。これらの攻撃は、ほとんどが北朝鮮による犯行だと当局は結論付けている。

何度も触れているが、世界を震撼させたランサムウェア（身代金要求型ウィルス）である「WannaCry（ワナクライ）」も、仮想通貨で身代金を払うよう求めた犯行だ。米英政府をはじめ、大手セキュリティ企業などから、北朝鮮が犯人であるとして名指しされている。

そんな北朝鮮であるが、次に狙っているのが、2020年の東京オリンピック・パラリンピックだと指摘されている。本書の冒頭に登場した欧米のハッカー集団を率いる元ハッカーによると、中国や北朝鮮が、不穏な動きを見せているという。

ダークウェブに集まるハッカーの間では、日本のインフラ部門や、インフラに製品を供給しているサプライチェーンの企業、さらには金融機関や流通系などのインフラがターゲットになっており、すでにハッカーたちはどう攻撃するのかを情報交換などしながら攻撃の準備を始めているとの分析がある。そして「多くの場合、北朝鮮の背後には中国やロシアの支援を受けている政府系ハッカーたちが協力しているのも突き止めています」とこの元ハッカーは語る。

彼らの動機は世界的なイベントを妨害することにあるという。「日本に大きなイベントをホストする能力がないと見せたいということでしょう。ここで日本が失態を晒すと、今後の世界的イベントなどの誘致で、日本は危ないとなる。日本経済にもかなりのダメージが出るでしょう」。

核開発問題でアメリカと直接交渉を実現し、中国やロシアとも首脳会談を行いながら、存在感を見せ付けようとする北朝鮮と、若き金正恩委員長。国内のインターネットのインフラも、もともと中国に頼っていたのが、今ではロシアからもインフラ設備で支援を得て、国内での底上げも行っている。

実はトランプ政権は発足して間もなく、北朝鮮の偵察総局をサイバー攻撃するよう、米サイバー軍に指示を出していたことが判明している。アメリカとしても北朝鮮を脅威と感じて、水面下で偵察総局の動きを食い止めるべく、攻撃を行っていた。だがそれでも、北朝鮮は国外に拠点を置くなどして攻撃の腕を磨いていた。

政権存続の唯一の生命線である核兵器にしがみつきながら、世界中でサイバー攻撃を繰り広げて、厳しい経済制裁下でも生き延びているのである。

それは北朝鮮にとって、サイバー攻撃もまた、国家存続の生命線となっているということだ。サイバー攻撃は、核・ミサイル開発など従来の軍事行動に比べて断然安価で済むという利点があり、北朝鮮のような国にとってはもってこいの手段である。その有効性を享受している金正恩が、他国に対するサイバー攻撃を止めることはないだろう。

イランは10億ドルを投資し12万人規模のサイバー部隊を設立

ならず者国家といえば、もう一つ思い浮かべるのはイランである。イランも最近、サイバー攻撃を駆使している国として知られる。

2018年イラン人の政府系ハッカーら9人が、米司法省によって起訴された。彼らは、イラン指導部の親衛隊として機能するイスラム革命防衛隊とつながりがある「マブナ研究所」に関わりがあり、2013年から5年にわたって、世界320校におよぶ大学などで、8000人近い教授らにサイバー攻撃を実施した。そして研究論文や研究内容、知的財産など31・5ギガバイトに及ぶデータを盗み出していたのである。彼らは中国やロシアによる攻撃を真似ているようで、知的財産なども欧米から盗み出そうとしている傾向が見られた。

２０１９年３月には、イランのハッカー集団である「ホルミウム」が、米国の２００以上の企業へ大規模なサイバー攻撃を仕掛け、企業の知的財産や内部情報を盗んだり、パソコンのデータを完全に消し去るといった工作を行ってきたことが明らかになった。攻撃対象となった国は、サウジアラビアやドイツ、英国、米国、そしてインドである。ホルミウムは、石油などエネルギー関連企業であるイタリアのサイペムへも攻撃を行っており、２０１８年12月には、同社が所有する中東やイタリア、インド、スコットランドの施設に対してサイバー攻撃を行い、データを破壊している。

実はイランは２０１２年にも、ライバル国であるサウジアラビアの国営石油企業サウジ・アラムコに大規模なサイバー攻撃を仕掛けたことが明らかになっている。サウジ・アラムコでは、３万台におよぶパソコンがマルウェアに感染し、同社職員が使うコンピューターのうち４分の３のデータが削除されてしまったという。

イランでは、２００７〜09年頃には、サイバー工作に力を入れ始めている。イラン革命防衛隊は人材を確保してサイバー部隊の構築に乗り出し、２０１１年に政府はサイバー部門に10億ドルを投資。２０１２年３月までには12万人規模のサイバー部隊員を確保したと主張している。同年、イラン最高指導者であるアリ・ハメネイ師は、情報機関や軍部の高官たちからなるサイバー領域最高評議会の設置を命じている。彼らこそ、イランのサイバー政策を支えている。

第6章

脅威をばらまくロシアの暗躍

闇フォーラムでサイバー兵器を売買するハッカーたち

ロシアンハッカーが売るサイバー兵器の値段

2018年2月、ダークウェブで日本人の電子メールとパスワードが売りに出された。データ量にして2・6ギガバイトというその「商品」は、2億アカウント分の個人情報になるという。しかもサンプルとして3000人分の電子メールアドレスとパスワードが公開され、そこには日本でよく知られた大手企業や、地方の中小企業などのアドレスがずらりと並んでいた。

この「商品」を売り出したのは、ウクライナ在住のハッカーだった。そしてデータを購入したのは、中国人。これらのデータがその後、中国人によってどのように使われたのかは定かではない。

同年9月、ロシア外相の苗字である「ラブロフ」の名前を使ったロシア人サイバー犯罪者が、ダークウェブの奥深くにあるフォーラム（掲示板）で、こんなメッセージをロシア語で掲載した。

「Zeusと似たような機能を持つトロイの木馬型マルウェア（悪意ある不正プログラム）、Pandaに興味があります。知っている人がいたら、現在市場で出回っている製品の種類を教えてください。ビルダーの購入あるいはレンタルを考えています」。

このメッセージをわかりやすく「訳す」と、「サイバー攻撃に使う『Panda』というツールを購入したい」ということになる。2018年から闇のフォーラムで、「Panda」と呼ばれるサイバー攻撃ツールが頻繁に話題に上がっていたという。しかもその動きを追うと、日本の名だたる大手企業を標的にしていたことが発見された。

「Panda」とは、最初に2016年リオ夏季オリンピックで見つかったマルウェアの亜種で、感染するとクレジットカードなどの顧客データや個人情報などが盗まれてしまうものだった。筆者の手元にある標的となった日本企業のリストには、大手銀行や大手クレジットカード会社、大手オンラインショッピング企業、大手小売企業がリストアップされている。ただ、こうした企業にどれほどの被害が出たのかは公表されていないために、不明だ。

こうした事例を見ると、いかに日本をはじめとする世界各地の企業などの情報が漏れており、ハッカーたちの間で売買されているのかがわかる。この手のサイバー工作に様々な形で深く関与しているのは、ロシア系のマフィアやハッカーたちだと言われている。

例えば、2016年に世に出回ったランサムウェアだけを見ても、全体の75%はロシアで作られたものだった。そして現在でも、数多くのサイバー攻撃ツールは、技術力の高さに定評があるロシアのハッカーらが作っている。

筆者の手元には、ダークウェブでロシアから売りに出されている、サイバー攻撃ツールの料金カタログがある。このカタログによれば、様々な種類の攻撃ツールが扱われており、その値段も驚くようなものではない。ここで公開したい。

《ロシア人ハッカーの闇フォーラムでの武器の金額（米ドル）》

■すでに世に出ているランサムウェア（身代金要求ウイルス）の改良版
――10ドル～4600ドル
■未知のランサムウェア――1700ドル～8900ドル
■攻撃に使う一般的なマルウェア――7ドル～5000ドル
■トロイの木馬（ユーザーに発見されないように動作するマルウェアの一種）
――10ドル～3000ドル

■RAT（標的のパソコンを遠隔操作できるマルウェア）――15ドル～2万ドル
■ゼロデイ（世に知られていないプログラムなどの脆弱性。第7章P.186で解説）を使ったマルウェア――2500～3万8000ドル
■特定のデータを搾取するためのマルウエア――1万1000ドル～2万4500ドル
■特定のネットワーク環境を狙った攻撃ツール――8500ドル～4万1000ドル

これらのサイバー武器の購入者で、最も多いのは中国系ハッカーだ。彼らは政府系の場合もあれば、個人の場合もあるという。また北朝鮮系や中東系もいる。

実は今、こうしたロシアのサイバー攻撃ツールの市場はかなり大きくなりつつあり、1年余りで3億ドルほどの市場になっていると見られている。それだけ需要があるということで、ロシアのマフィアやハッカーの資金源になっているのだ。

さらに不穏なことに、こうした攻撃ツールをプログラムする人たちの中には、日本人も含まれていると、CIAのCISO（最高情報セキュリティ責任者）だったビッグマ

ンは筆者の取材で語っている。「ロシア人にとって、東京は最大のリクルート場所のひとつなのです。日本人はサイバー攻撃のためのツールを作っていることが多く、仕事の質がかなり高いことで知られています」。

狙われる日本人の中には、オンラインゲーム中にリクルートされてしまう人もいる。お金に困っているプレイヤーも少なくなく、サイバー攻撃のツール作成に協力して小銭を稼いでいるのだという。ゲームのチャットルームで犯罪組織に勧誘され、攻撃ツールをネット上で安価に購入し、攻撃を行うこともある。自宅の部屋に座ったままで稼げる、楽なバイトのような感覚でいるとの指摘もある。

ロシアが暗躍するサイバー空間でのハッキング「市場」に、日本人も取り込まれてしまっているのだ。

NSAから7つのサイバー兵器を盗み出したシャドウ・ブローカーズ

ハッカーには3層あると第1章で触れた。その中でも、真ん中の層である「マフィア」

はロシアに多くいると分析されている。彼らこそ、世界中で日常的に発生しているサイバー攻撃に関わっている可能性が高いと指摘される。

ロシアのサイバー攻撃者といえば、サイバー安全保障における歴史的事件をいくつも起こしている能力の高いハッカーたちとして知られている。軍や情報機関が深く関わっているのだが、ただ中国などと比べると一貫性や統制力が劣ると言えよう。

国外の諜報を担当するＳＶＲ（ロシア対外情報庁）や国内の諜報活動を担うＦＳＢ（ロシア連邦保安庁）、ロシア軍の諜報部門であるＧＲＵ（ロシア連邦軍参謀本部情報総局）などがサイバー攻撃を実施しているが、彼らはターゲットが同じであっても、ともに動くことはないという。ＳＶＲとＦＳＢは元々はソビエト連邦時代に恐れられたＫＧＢの後継組織。ウラジーミル・プーチン大統領は元ＫＧＢのスパイだ。彼は毎日午後から仕事を始めるのだが、最初にする仕事は、ＳＶＲとＦＳＢのリポートに目を通すことだと言われている。

ロシアがターゲットにするのは、主にアメリカやイギリスなど西側諸国。日本を含むアメリカの同盟国も、もちろん対象になっている。民間のハッカーなどを駆使し、マフィアも動員しながら、サイバー攻撃を仕掛ける。また旧ソ連から独立した国々に対しても、ことあるごとにサイバー攻撃を見舞っている。2007年にはエストニアに激しいサイバー攻撃を行って国家としての機能をダウンさせたこともあるし、2008年にはジョージアでの南オセチア紛争などでもサイバー攻撃を駆使して戦闘を有利に進めている。

その中でも特筆すべき例は、2015年と2016年にウクライナのインフラへサイバー攻撃を仕掛け、大問題になったケースだ。

顛末はこうだ。

2015年12月23日のこと。ウクライナ西部にある電力会社で、職員が電力の制御を管理するシステムを表示しているパソコンのスクリーンを眺めていた。すると突然、画面の中のカーソルがひとりでに動き出したのだ。職員はすぐにマウスを動かしてみたが、反応はまったくなし。その段階で、職員たちはパソコンを操作することができなくなっていた。システムが完全に乗っ取られていたのだ。

カーソルは手際よく動き、職員らの見ている前で、次々と電力供給をストップさせていった。職員はなすすべなく目の前の画面を見ていることしかできなかったという。この攻撃により、ウクライナではクリスマスを前にして、50万人ほどが電力が使えなくなるという事態に陥った。

これが真冬のシベリアであったなら、電力を断たれた住民の中から多数の死者が出てもおかしくない――。そう専門家が指摘するのも、もっともである。

そしてその翌年の12月にも、ロシアは同じような攻撃をウクライナに向けて行っている。この攻撃では、首都キエフで作られる電力の5分の1がダウンした。この時に使われたサイバー攻撃ツールは「クラッシュ・オーバーライド」と呼ばれ、発電や送電のシステムを不正に操作できるものだった。さらにシステムを動かすソフトウェアそのものを削除させてしまうことも可能であったと分析されている。


最近では、ロシアのサイバー攻撃は、こうした破壊行為よりも他国への内政干渉が度々話題になっている。第3章でも述べた、２０１６年の米大統領選におけるハッキング攻撃の類である。

他にも、２０１６年に英国で行われたＥＵ離脱を問う国民投票でも、投票を妨害するようなサイバー攻撃が確認され、２０１７年にフランスで史上最年少となるエマニュエル・マクロン大統領を生んだフランス大統領選挙でも、フェイクニュースからハッキングによる電子メール流出などといった攻撃が起きているが、これらはロシアによる攻撃であると指摘されている。

ちなみに2016年の米大統領選については、デジタル化されている投票システムそのものにもサイバー攻撃が行われていたことが報告されている。全米50の州のすべてでそうした攻撃が確認されており、筆者が以前取材したある情報関係者は、「実際の集計システムなどでサイバー攻撃による操作が行われたという話も出ている」と語っていた。つまり、票の集計自体も操作されていた可能性が指摘されているということである。そして攻撃者はロシアである、と。

こうした話が出ると、にわかに信じられないという声を耳にすることもある。ただこれが現実であり、私たちはそういうサイバーリスクの中にいることを自覚する必要があるのだ。

さらに信じがたい、こんな話もある。

米NSA（米国家安全保障局）は、サイバー攻撃に使うために様々なツールをかなりの予算をかけながら日々、研究開発している。米国ではサイバー攻撃ツールは、「兵器」として扱われている。そう、ミサイルやライフルなどと同じ兵器として扱われているのである。

２０１１年、米軍は所有するサイバー攻撃ツールを武器弾薬のリストに初めて含めている。サイバー攻撃兵器とは、コンピューターで作られた強力なマルウェアなどを指すが、使用条件や使用方法が明確にされ、機密文書にまとめられたのである。

そのツールの一端は、元ＣＩＡ職員で元ＮＳＡの契約職員でもあったエドワード・スノーデンが暴露した機密文書の中で明らかにされている。例えば15キロほど先のパソコンにもマルウェアなどのデータを送り込むことができる機器なども暴露されている。

そんな米国のサイバー攻撃にとって貴重となるサイバー兵器が、２０１６年までに、ロシアのハッカー集団とされる「シャドウ・ブローカーズ」という組織によって、何らかの形で盗まれてしまったことが明らかになっている。

２０１６年8月、シャドウ・ブローカーズはダークウェブ上で、イラン核燃料施設を破壊したサイバー兵器「スタックスネット」よりも強力な武器をオークションするとぶち上げた。そして、ビットコインで最も高額を支払うと約束した人に、世界一のサイバー大国が最前線で使っているサイバー攻撃ツールを販売するとオークションを始めた。しかもそこには、サンプルのサイバー武器のファイルもつけられていた。しかし、手を挙げる人がいなかったことで、シャドウ・ブローカーズは何度か新たな情報を暴露しながらメッセージを更新し続けた。

そして2017年4月に、さらにNSAのサイバー兵器をネット上で暴露するに至った。ここで暴露されたツールの中には、「EternalBlue（エターナルブルー）」と呼ばれるものが含まれていた。このツールは、マイクロソフト製ウィンドウズにある脆弱性（セキュリティの穴または欠陥）を突いて不正なプログラムを感染させるプログラムだ。もう少し細かくいうと、ウィンドウズのファイル共有やプリンター接続に使われるシステムを悪用して、パソコンを攻撃する。

そしてこのエターナルブルーを使った攻撃が起きる。日本でも大騒ぎになったランサムウェア（身代金要求型ウイルス）の「WannaCry（ワナクライ）」である。北朝鮮のハッカーが行ったこの攻撃では、ハッカーらはどこかでこのエターナルブルーを入手して攻撃を行った。結局、日本をはじめ世界150カ国の20万台のパソコンが感染し、英国の病院では、ネットワークにアクセスできなくなって手術が停止されたり、患者のデータにアクセスできずに治療が行えないという状況にもなった。

こうしたロシアのハッカーらによるNSA絡みの騒動を、欧米の情報関係者はどう見ているのか。一連の問題について、欧米の情報関係者に話を聞くと、今後ＮＳＡから盗まれた別のサイバー攻撃兵器が、世界で再び猛威を振るう可能性があるという。
「実はＮＳＡから盗まれた攻撃ツールは、少なくとも7つはあった。すべてシャドウ・ブローカーズの手元にあると見ています。いまのところはまだ2つしか出てきていないが、これから他のツールがどんなサイバー攻撃に悪用されるのか、私たちも戦々恐々としながら注視しています。ＮＳＡの武器だけに、能力のある攻撃者が悪用すれば惨事になりかねないし、世に放たれたりしたらまた北朝鮮などにも悪用されるかもしれない。私たちはワナクライ以上の攻撃に直面する可能性があるのです」。

ロシア政府は、こうしたハッキング集団などを監視下に置きながら、うまく使いこなしていると言われている。ＣＩＡの元幹部によれば、「当たり前だが、ロシア政府はロシアを拠点に動くマフィアやハッカーらの動きはわかっている。政府の作戦に協力させたりもしている」という。筆者の「ロシアの技術力をどう見ているのか」という問いには、「非常に高い。ロシア政府系のサイバー工作の標的にされたら、諦めるしかないかもしれない。予算と人員をかけて攻撃を仕掛けてくるし、特に個人などでそれに対処するのはほぼ不可能だと考えていい。だからあらがうこと事体、無駄かもしれない」と笑った。

ロシアのサイバー部隊は、ある意味で他のどの国よりも闇に包まれている。日本の防衛省によれば、ロシアのサイバー部隊は1000人規模だという。その数字の根拠はわからないが、おそらく、ロシア軍の中でサイバー攻撃に関与している人たちの数であり、FSBやSVRといった諜報機関やそのほか民間の協力者、マフィアの手先といった人たちは含まれないだろう。第3章で触れたサンクトペテルブルクを拠点とする「インターネット・リサーチ・エージェンシー（IRA）」などのサイバー工作組織もある。

また2007年にエストニアを数週間にわたって襲ったサイバー攻撃では、インターネット上にエストニアに対するDDoS攻撃への参加を呼びかけるコメントがアップされ、例えばオンライン掲示板にはその方法までが記された。

この攻撃は、第二次大戦のロシアの英雄兵士の像をエストニア政府が撤去すると決めたことに、ロシアが激しく反発したケースだった。これに同調した愛国者や活動家（ハクティビスト）なども攻撃に乗り出している。エストニアが加盟するNATO（北大西洋条約機構）は、この攻撃規模の大きさと被害を見て、集団的自衛権を行使してロシアに対抗措置を取るかどうか検討するほどだった。結果的には政治的な理由で集団的自衛権の行使はしなかったが、サイバー攻撃の位置付けが変わったと言えるケースである。とにかくロシアの部隊は層が厚く、奥行きが深いのだ。

セキュリティソフトを利用して個人情報を〝抜いて〟いたカスペルスキー

さらにロシアは、国外の「反米仲間」のために協力を惜しまない。例えば、北朝鮮だ。北朝鮮国内では、インターネットのインフラが不十分で安定したネット接続が利用できないという。政権や軍の幹部など一部の特権階級はインターネットを利用できるが、それ以外は、日本のように誰でもがどこでも使えるようなネット環境はない。特権階級であっても、どんなページを見ているのか、誰とどんなメールを交わしているのかも、筒抜けになっているとも聞く。

そんな北朝鮮では、国内の携帯通信やインターネットのインフラを国外企業に任せてきた。通信網では、もともと北朝鮮と軍事的にも良好な関係にあるエジプトのオラスコムという通信会社が敷設を担当した。インターネットに関しては、最初は中国やタイの企業が関与していたが、ロシアも2017年からインターネットのインフラ構築に参入。その背景には、米国との関係で中国が北朝鮮のネットインフラから手を引く可能性が示唆されたことがあり、さらに金正恩委員長と中国との関係がうまくいっていなかったということもある。そこでロシアに声がかかったわけだが、ロシアにしてみれば、北朝鮮のネットインフラに関与することで、国内の情勢などにもアクセスが可能になる。さらにはサイバー攻撃により、北朝鮮を「スパイ」しやすくなるという思惑もあっただろう。

また日本にとっても見逃せない事実がある。ロシアが北方領土で進めている通信インフラなどの開発に、中国を参入させていることだ。サハリンから海底に光ケーブルを敷設して、択捉島《えとろふ》、国後島《くなしり》、色丹島《しこたん》につなげることで、インターネットを利用できるようにしている。そのインフラを担当しているのが、近年物議を醸している中国企業の華為技術（ファーウェイ）だ。もちろんロシアは米国がファーウェイを目の敵にして欧米諸国から追い出しにかかっていることも重々承知の上で、そういうことを行っているのである。

もうひとつの例は、ベネズエラである。

そもそもベネズエラという国は、米国と中露が影響力を競う舞台だった。要は、代理戦争が行われていた国である。左派のウゴ・チャベス前大統領は強硬に反米を貫き、「21世紀の社会主義」という考え方を標榜して国を運営した。チャベスの社会主義政策は、世界最大の埋蔵量を誇る石油資源からの収入を背景にしたもので、国民の支持も得ていた。２０１３年にチャベスがガンで死去すると、後任のニコラス・マドゥロ政権が誕生し、チャベスの路線をそのまま引き継いだ。だが就任後から原油価格の大幅下落や失策などが起き、ベネズエラの経済はあっという間に崩壊した。

ＧＤＰは13年以降、実に60％も減少。治安もどんどん悪化し、殺人発生率は国連薬物犯罪事務所の２０１６年のデータによると、10万人中59.56人（世界平均６・２人）と、エルサルバドルにつぐ世界で２番目に高い水準になった。

そんな窮状を、中露が見逃すはずがない。中国はベネズエラの石油利権を狙って、多額の融資で影響力を行使しようとしてきた。一方でロシアは、軍事支援などを強化。２０１８年12月、核兵器を搭載できる爆撃機をベネズエラに派遣したり、ロシアの軍事基地を国内に設置するという話まで聞かれた。

米国にとっては、「裏庭」同然の中南米において、反米勢力が関係を強化する動きは看過できない。米政府は2019年に、反マドゥロ勢力の野党リーダーであるファン・グアイド国民議会議長を大統領に承認して、親米政権を作ろうと画策し、本格的にマドゥロを追放しようとしたのだった。

それを受けてロシアは、地政学的に非常に重要なベネズエラに軍用機を送り込み、ロシアのサイバー部隊を入国させた。ベネズエラが米国からサイバー攻撃を受けているということもあって、それに対処するためにロシアのサイバー部隊を派遣したのである。ベネズエラではいま、米露のサイバー攻撃が水面下で繰り広げられているという。

ロシアはサイバー兵力を惜しみなく動員して、国益のために世界で活動を行っているのである。

さらにロシアにからむサイバー情勢を語る上で、避けることができない話がある。ロシアのセキュリティ企業カスペルスキーをめぐる疑惑である。

2017年、ロシア政府系ハッカーが、ロシアのセキュリティ企業カスペルスキーのソフトウェアを自在に悪用していたケースが世界的に報じられた。カスペルスキーのアンチウイルスソフトをインストールしているパソコンの内部を検索できるようになっていたというのだ。これを受け、米政府はカスペルスキー製品の使用を禁じ、米電化製品大手小売店などもカスペルスキー製品の販売を中止した。このケースは「近年で最も重大なセキュリティ事案のひとつ」とも言われている。

現在世界で４億人が使っているカスペルスキーの製品が、スパイ工作に使われていたと指摘されたことで、世界中で物議を醸した。カスペルスキー側はこの話を完全に否定しているが、この「疑惑」を最初に見つけたのは、イスラエル軍に属するサイバー工作部隊である「８２００部隊」だった。世界でも屈指の精鋭ぞろいと評される同部隊は、カスペルスキーがロシア情報機関などと協力関係にあるのではないかと疑い、カスペルスキーのシステムにも〝潜入〟して活動を監視していたのだ。

その最中、米ＮＳＡの職員が自宅のパソコンに保存していた機密情報が、ロシアの情報機関のハッカーらに盗まれていたことを８２００部隊が発見する。職員のパソコンにはカスペルスキーのセキュリティソフトがインストールされており、そこから情報が抜かれた事実をイスラエルが米国側に通報したことで大騒動になった。結果、カスペルスキーは米政府から締め出されることになったのである。

このケースは、その後に世界的な問題になる中国の通信機器大手「華為技術（ファーウェイ）」の顛末を想起させる。同様の手口で知的財産権の侵害などスパイ工作をしていると米国から締め出しをくらった中国のファーウェイと、ロシアのカスペルスキー――。米国からサイバー攻撃などによる工作を疑われて、米政府に目をつけられたことで、図らずも世界情勢とサイバー安全保障が取りざたされることになった。サイバー空間では、ビジネスなどにも絡むいろいろな要素が、安全保障につながっている。

ロシアのサイバー攻撃は、今後も活動の手を緩めることはないだろう。

第7章

変革期にある世界のスパイ工作

CIA、MI6、モサドほかスパイ組織のサイバー利用

イスラエル製監視システム「ペガサス」が不都合なジャーナリストを徹底追跡

ＣＩＡ（米中央情報局）、ＭＩ６（英秘密情報部）、ＤＧＳＥ（フランス対外治安総局）、モサド（イスラエル諜報特務庁）、ＳＶＲ（ロシア対外情報庁）、ＧＲＵ（ロシア軍参謀本部情報総局）、ＢＮＤ（ドイツ連邦情報局）、ＲＡＷ（インド研究分析局）、ＩＳＩ（パキスタン軍統合情報局）など、世界にはスパイ組織が数多ある。

今、これらスパイ組織は変革期の中にある。工作員を駆使したこれまでのアナログなスパイ工作から、サイバー空間を活用したデジタルの工作が主流となってきているからだ。この変革期で世界をリードしている国は、アメリカやイギリス、フランス、イスラエル、ロシア、そして中国だと言われる。こうした国々は、多くのスパイ工作を遠隔操作で難なくやってのける。スパイなどが捕まるリスクも格段に低くなってきているが、一方で、サイバー空間で新たなスパイ合戦が繰り広げられている。

スパイ機関は、ここまで述べてきたようなサイバー攻撃によるハッキングや破壊工作などを、広範囲にわたって駆使している。そんな中でも、特に注目したいのは監視技術だ。もはや、これまでのように危険を冒す尾行や盗聴などは、サイバー攻撃による工作に取って代わられている。

これは国外のスパイ工作に限らず、国家や警察当局による「国内」の監視活動でも同じだ。国内の監視活動に絡んで、こんなケースが明らかになっている。

２０１４年11月、メキシコの著名な女性ジャーナリスト、カルメン・アリステギは、当時のエンリケ・ペニャニエト大統領にとって大打撃となる汚職疑惑をスクープした。メキシコの高速鉄道計画を巡り、工事を落札した中国企業に絡んで、ペニャニエト大統領が賄賂を受け取ったのではないかと指摘したのだ。

すると翌年の1月から、アリステギの携帯などにいろいろと怪しいテキストメッセージが届くようになったという。在メキシコ米大使館からは、ビザに問題が見つかったためにリンク先の詳細をチェックしてほしい、というメッセージが届いた。また別の日には、「前のメッセージが送信できませんでした」というメッセージが表示された。こうしたメッセージは次々と送られ、行方不明の子供を探してほしいという電子メールや、アリステギの誘拐計画があると知らせるメールまで届いた。

仕事柄、嫌がらせに慣れている百戦錬磨のジャーナリストであるアリステギは、こうしたメッセージを怪しいものであると判断して無視した。だがしばらくすると、16歳になる彼女の息子にまで奇妙なテキストメールが届くようになった。さらに彼女の運営するウェブサイトも、繰り返しハッキング攻撃に見舞われた。

これらのサイバー攻撃は、すべてメキシコ政府の仕業だったと見られている。要するに、政権に不都合なジャーナリストの動きを監視するためのサイバースパイ工作だったのである。彼女の携帯電話やパソコンなどをハッキングする目的で、電子メールなどのリンクをクリックさせようとしたのだ。仮にハッキングされてしまえば、彼女の取材内容から情報提供者の正体、さらにプライベートな行動まで、すべてが政府に筒抜けになってしまったはずだ。

メキシコ政府が、ジャーナリストや反体制派などをハッキングするための「監視システム」を使い始めたのは、2011年のこと。政府は、イスラエルのサイバー武器メーカーであるNSOグループから、「ペガサス」という名の監視システムを約8000万ドルで購入したことが判明している。この監視システムに搭載されたソフトウェアは、アップル社のスマホ「iPhone」を動かすオペレーティング・システム（OS＝基幹ソフト）「ｉＯＳ」や、アンドロイドＯＳを搭載したスマホなどに潜入し、通話やメールだけでなく、位置情報や連絡先、カレンダーまですべての個人データを収集し、監視することが可能になる。さらには、スマホのマイクやカメラの機能を乗っ取って勝手に操作し、盗聴器として監視に使うこともできるという。しかも、驚くことにそうした工作の形跡を一切残さない優れものだ。

ペガサスの価格は、一般的な感覚では非常に高価だと言える。同システムは、50万ドルという一律の設置料金に、監視ターゲット１人につき料金が加算される仕組みだ。例えばiPhoneユーザー10人の監視をするなら、追加で65万ドルが請求される。アンドロイドのスマホを使うターゲットも10人で65万ドル。さらに維持費として、年間に支払っている金額の17％を支払う必要があるという。ちなみにサイバーセキュリティ業界では、このくらいの料金設定は驚くような金額ではない。

２０１０年に設立されたＮＳＯは、イスラエルのテルアビブに近いヘルツリーヤに本社を構えている。筆者もヘルツリーヤを訪問したことがあるが、海沿いに広がる新しい地域で、商業コンプレックスが数多くある綺麗な街だった。サイバーセキュリティ関連企業が多いエリアでもある。同社には現在、５００人ほどの従業員がおり、そのうち半分近くがハッキングに特化した製品に携わるエンジニアだと言われている。

同社のパンフレットによれば、「NSOはサイバー戦争の分野をリードする企業」であり、サイバー防衛だけでなく、サイバー攻撃でも当局の技術的な側面を支えると喧伝する。もともとイスラエルという国はサイバー分野に力を入れており、徴兵制で国民を選別しながら、国を挙げてスタートアップ企業の育成・援助に力を入れている。NSOも、イスラエル軍でサイバー作戦を担う「8200部隊」の関係者による資金援助などで立ち上がったとされる。

「ペガサス」の監視システムによるサイバー攻撃は、まず電子メールから始まる。

例えばターゲットになった人のスマホに、知り合いを装って「家の前に変な車が止まっているのを見たから、写真に収めておいたよ」などのようなメールが届き、そのメールには写真を見るためのリンクが付いている。そしてそのリンクをクリックしたら一巻の終わり。スマホは相手のコントロール下に置かれてしまう。普段から普通にやりとりしている友人や知人、家族などから普通に届くメッセージが、クリックを促すのである。一般人なら、そのメッセージに怪しさを感じるポイントはほとんどない。だが現実には、そのメッセージが偽物であり、すべて監視工作の一環なのだ。

その技術力の高さゆえ、ＮＳＯグループは、自社のシステムを売却する相手を厳格に選別しているという。同社の方針によれば、売却先は基本的に政府または各国の捜査当局や情報機関などに限定し、契約時には監視対象をテロ集団や犯罪組織に限るよう約束させている。ただ現実には、そんな約束はあまり意味がないだろう。相手が弾圧したいジャーナリストであっても、「テロ捜査の一環」と言ってしまえば済むからだ。もっとも、独裁的な国にはそんな理由すらいらない。

事実、メキシコ政府は幅広く国民を監視対象にしていた。ＮＳＯグループを調査しているカナダ・トロント大学にある研究所シチズン・ラボは、メキシコでは人権派弁護士たちやメディア関係者、野党関係者など、判明しているだけで21人が標的になってきたと指摘する。ペニャニエト大統領の汚職疑惑を報じたアリステギも、そのうちの１人だった。

ＮＳＯの顧客はメキシコ政府だけではない。例えば、サウジアラビアはＮＳＯを導入していると知られている。サウジがからむ有名なケースでは、米国に亡命していたサウジアラビア人ジャーナリストのジャマル・カショギ記者の件だ。サウジ政府に対して批判的な記事を書いていたカショギは、２０１８年10月にトルコの首都イスタンブールにあるサウジ総領事館を訪れた際に殺害された。サウジ政府は、ペガサスを使ってカショギを監視していたとされ、それが殺害計画につながったとも報じられている。

またＵＡＥ（アラブ首長国連邦）も顧客だ。同国の著明な人権活動家アーメッド・マンスールは、ＵＡＥ政府によって、２０１６年8月からペガサスの標的になっていたことが取り沙汰されている。狙われたのはマンスールの「iPhone6」で、まだ世の中に知られていないセキュリティの穴である「ゼロデイ脆弱性」が使われていた。

ゼロデイとは、これまで公に知られていないソフトウェアなどの「欠陥」または「穴」である脆弱性のことを指し、この欠陥を突けばハッカーたちはスマホやパソコンに不正侵入できてしまうのである。

通常なら、ソフトウェアに欠陥が発見されると、メーカーが修正を施したアップデートやパッチを配布する。ユーザーはそれらをインストールしてアップデートを行い欠陥を修復する。だが誰にも知られていない欠陥なら、メーカーも修復しようがないし、ユーザーにアップデートを求めることもできない。そのため、悪意のあるハッカーなどがその欠陥の存在を最初に知れば、他の誰かが見つけるまで悪用し放題になるのだ。そんな未知の欠陥のことをゼロデイと呼んでおり、サイバー攻撃を実施するのに強力なツールとなることから、専門家の間ではゼロデイは強力な「サイバー兵器」であると認識されている。ちなみに諜報機関であるＣＩＡやＮＳＡも、独自にゼロデイを数多く所有しているし、地下空間であるダークウェブなどでは高値で取り引きされている。

話を戻すが、ペガサスのようなツールは、世界の強権的な国家にとっては喉から手が出るほど欲しいテクノロジーに違いない。事実、ＮＳＯのペガサスは世界各地で導入されている。すでに述べた通り、メキシコは約８０００万ドルを支払っているし、中南米のパナマはペガサスを導入するのに８００万ドルを支払ったことが判明している。その他にも、トルコ、バーレーン、イエメン、ウズベキスタン、ケニヤといった国々、また現在、軍政が後ろ盾になって強権的になっているタイ政府の名前も挙がっている。

監視システムを提供している企業は、ＮＳＯグループ以外にもある。イタリアのミラノに本部を置くハッキング・チームという企業も有名で、遠隔操作スパイウェア「Galileo（ガリレオ）」などを販売していた（現在の状況は不明）。同社の顧客には、ウガンダ、ウズベキスタン、エチオピア、オマーン、サウジアラビア、スーダン、ナイジエリア、ハンガリー、ベネズエラ、マレーシア、ロシアといった国々の情報機関が含まれていた。韓国国家情報院もハッキング・チームのシステムを導入していたことが判明しているし、ＣＩＡやＤＥＡ（米麻薬取締局）、スペインの情報機関であるＣＮＩ（国家情報センター）、シンガポールのＩＭＤＡ（情報通信開発庁）もシステムを購入していた。ドイツ銀行などの民間企業も、この監視ソフトを導入していたという。

実は、日本の情報機関もこのサイバー攻撃による監視システムの導入を検討していたことが判明している。公安調査庁は２０１５年、庁内でこのスパイウェア商品のデモンストレーションをハッキング・チームから受けていたことがわかっている。ただ予算や法律に問題があったようで、実際には導入に至らなかったという。同社の内部情報によれば、日本で爆発的に普及しているメッセージングアプリ「Ｌｉｎｅ」も、少なくとも２０１４年の時点で監視が可能だった。

英国のガンマは、「FinFisher（フィンフィッシャー）」という監視ソフトウェアを提供している。同社は、「我々は先端技術の監視やモニターシステムを提供し、政府へのトレーニング、国家の情報機関や法執行機関に国際的なコンサルタントも行う」と説明する。手口は様々あるが、例えばパソコンに偽の「ソフトウェア・アップデート」を送り、クリックさせることで監視ソフトを感染させたりもしている。

FinFisherもほかの監視ソフト同様に、世界中の情報機関や捜査当局が使っている。少なくとも世界の36カ国が導入し、漏れ伝わっている同社の内部情報によれば、その中には日本も含まれていると説明されていた。また２０１１年に民主化運動「アラブの春」によってエジプトのホスニ・ムバラク大統領が失脚した際、反体制派が秘密警察のオフィスを襲撃したのだが、その時にエジプト政府がガンマのFinFisherに29万ユーロ近くを支払っていたことを示す契約書が発見されている（ガンマへの支払いの一部だった可能性が高い）。FinFisherのシステム購入には１４０万ユーロほど必要になるとの情報も報じられている。

iPhoneのゼロデイを兵器として活用し　ターゲットの情報を抜き出す

こうしたサイバー攻撃による監視活動が、今では世界中で当たり前のように行われている。そのため監視システムのビジネスは、近年ますます盛況になっており、２０１４

年に2億5000万ドルほどの市場規模だったが、2022年には30億ドルを超える規模になると見られている。

著者の取材に、イスラエルの元政府関係者は、「現在、スマートフォンにはユーザーの個人情報のすべてが詰まっている。何もかもだ」と指摘していた。要は、監視をしたい人にしてみれば、スマホを覗き見さえすれば、その人物のすべてが手に取るようにわかってしまうということなのである。攻撃者は、そこに狙いを定めているのだ、と指摘した。

こうした技術は、敵国などでのスパイ工作にも使われている。例えばこんな話が出ている。元NSA（米国家安全保障局）のサイバー攻撃部隊にいた女性ハッカーの証言だ。彼女はUAEの首都アブダビで、ISのテロリストを追うサイバー攻撃の仕事を年20万ドルの給料でやらないかと持ちかけられ、2014年から同国で国内外にいるテロリストを狙ってサイバー攻撃によるスパイ工作に従事した。NSAもこの作戦を承知しているという触れ込みだったという。

「UAEが実施していたサイバー攻撃の作戦コードネームは「レイブン」と呼ばれ、「カルマ」と呼ばれる攻撃ツール（サイバー兵器）が使用されていた。

２０１６年に導入が始まったカルマは、遠隔操作でiPhoneにアクセスできるというシステムだった。一般的に使われるサイバー攻撃ツールよりも性能が優れ、驚くことに、電話番号や電子メールのアドレスなどをシステムに打ち込むだけで、当時使われていたデバイスの遠隔操作が可能になるというものだった。電子メールでマルウェア（悪意ある不正なプログラム）を組み込んだ添付ファイルを実行させたり、不正なリンクをクリックさせるという通常の手法は必要ない。おそらく、世界の優れたスパイ機関などは、今ならこうした攻撃ツールを使っていると考えていいだろう。

この攻撃で、電子メールやショートメッセージ、写真、位置情報までも簡単に入手できたと、この女性ハッカーは語っている。その上、スマホ内に入り込めば、各種のパスワードなども入手でき、ターゲットが使う他のパソコンやタブレットなどのデバイスにもアクセスできるようになった。

このことはつまり、もしも当局があなたの携帯番号またはメールのアドレスを知ることができれば、その情報だけであなたのiPhoneを完全に乗っ取り、情報を抜き出したり遠隔操作できてしまうということだ。スマホ内の情報は、すべて当局に丸裸にされる。

どうしてそんなことが可能なのか。その理由は、カルマの場合もアップルのスマホに搭載されている「iMessage（アイ・メッセージ）」アプリのプログラムにあったゼロデイを悪用していたからだ。

ゼロデイを使った攻撃ツールのカルマは、2016年から2年間で、中東と欧州、米国で数百人に上る政府関係者や、UAEに対して批判的な人々をスパイしてきた。被害者の中には、カタールの首長であるタミーム・ビン・ハマド・アール＝サーニールやUAEの著名なジャーナリストなども含まれているという。

しかも攻撃元がバレないように、偽IDや匿名で利用できる仮想通貨ビットコインを使って、世界中にサーバーをレンタルするなどして、周到な偽装工作もしていた。また、カルマが導入されるまでは、元情報機関員などの米国人ハッカーたちが、サイバー攻撃のツールや技術をUAE側に提供していたという。

米政府がツールなどを提供していたということは、米政府でも同じような手法で個人へのハッキングや監視が実行できるということを意味する。筆者の取材でも、NSAには世界各地のネットワークや通信網にサイバー攻撃で入り込む任務に従事している人たちがいると聞いているし、彼らは潤沢な国家予算を得て、サイバー攻撃のためのツールを研究・開発もしている。一目置かれる凄腕ハッカーを数多く擁するNSAのハッカー軍団「テイラード・アクセス・オペレーションズ（TAO）」も世界中で暗躍している（TAOは現在、コンピューター・ネットワーク・オペレーションズと呼ばれている）。もちろん、米国のCIAやNSAのハッキング部門なら、どんなスマホにも侵入することができると考えていい。私たちが日常的に使う、暗号化されたいくつものメッセージングアプリですら、彼らなら突破できるとも言われている。

一方で、現在までのカルマについての報道によれば、カルマは万能ではない。現時点ではアップル社がソフトウェアをアップデートしたことで、それまでのようにiPhoneに対して「やり放題」はできなくなっているという。つまり、もうゼロデイではなくなったということだ。とはいえ、すでに新たな手法で、人々のデバイスに侵入しているだろう。もっと言えば、UAEはNSOの「ペガサス」や、英防衛最大手BAEシステムズの「エビデント」と呼ばれる監視システムなども導入している。それらを駆使して、国内だけでなく国外でも、様々なパソコンや電子メールサービスなどを対象にし、監視プログラムで個人情報を引っ張っている。そして、ほかの監視プログラムを駆使してどんどんスパイ網を広げていると指摘されている。
これが、サイバー空間で繰り広げられている、現代のスパイ工作や監視活動の実態である。

イスラエル前モサド長官が話すサイバーセキュリティの今

筆者は最近、世界的に名の知れたイスラエルが誇る諜報機関、モサドを率いた人物と話をする機会があった。その人物は、タミル・パルド前長官だ。パルドは、35年にもわたってモサドで働き、2011年から2016年までは、第11代のモサド長官を務めた。世界を裏側から見てきた元スパイのパルドは、モサドを知り尽くした生き字引的な人物だと言っていい。

そんなパルドがモサド長官を退官して進んだ先は、モサド時代から重要性を目の当たりにしてきたサイバーセキュリティ分野だった。パルドは退官後しばらくして、サイバーセキュリティの市場で自分の温めていたアイデアを形にするために、2016年以降、モサドや8200部隊などから「世界でもトップクラスのハッカーたち」を集結させたと、筆者に語った。当初その数は30人に上ったという。それでも、アイデアを商品化するのに「開発に2年以上を要したがね」と笑う。

イスラエルのスパイ組織でトップにまで上り詰めた人物が、スパイの世界から一般の世界まで、「今以上に、さらに重要になるのはサイバーセキュリティである」と主張している。サイバー攻撃による監視工作や破壊行為、スパイ工作などは、すべて似たような手口で行われる。フィッシングメールなどから始まり、マルウェアに感染したり、システムを乗っ取られたり、侵入されて潜伏される。そうなれば、攻撃者はなんだってできてしまう。実際には、有事に向けて、サイバー攻撃で敵国のインフラなどにすでに入り込んでいる国家も少なくないし、ＩＳ（いわゆる「イスラム国」）といったテロ組織との戦いで米国が勝利したのも、ＩＳに対するサイバー攻撃が重要なウェイトを占めている。戦闘行為でも、領空レーダーなどはサイバー攻撃で無効化できる場合もあるし、北朝鮮のように、マルウェアがミサイル発射実験を妨害しているケースもある。

そんな現実を知ると、パルドの「重要になるのはサイバーセキュリティ」との言葉は非常に強い説得力を感じる。

パルドが作ったサイバーセキュリティ製品は、攻撃側、防御側、そしてその両方を合わせて見えてくるセキュリティの修正ポイントを繰り返しはじき出し、実際に巷間《こうかん》で起きているサイバー攻撃をシミュレーションし、その脅威への対策を攻撃が来るより前に行うというものだ。最大の特徴は、これがすべて自動で機能すること。しかも24時間、365日、休むことなく動くという。

イスラエルには、パルドの立ち上げたこの企業以外にも、数多くのサイバーセキュリティ企業が存在し、そのため世界屈指のサイバー大国と呼ばれている。そんなイスラエルのサイバーセキュリティは、どのように発展してきたのだろうか。

イスラエルがコンピューター関連の事業に乗り出したのは、1970年代より前のこと。70年代になると、すでに有能な科学者が国内で大勢育っており、世界的な大手IT企業のIBMやインテルなどが、人材確保の観点からイスラエルに研究施設を設置するようになっていた。

イスラエルに「国家サイバー局」を立ち上げた、「イスラエルのサイバーセキュリティの父」と呼ばれるアイザック・ベンイスラエル少将は、以前、筆者の取材に、「1980年代の終わりまでに、私たちはコンピューターが戦闘におけるテクノロジーを支配することになると認識していました」と語っている。つまり、その頃には、現在のようなサイバー空間の混沌とした様子を感じ取っていたという。さらに、「そこで、私たちは兵器製造を始め、コンピューターを戦闘などに使っていたのです。90年代初めにはすでに、イスラエル軍の中でサイバー兵器を作るチームも存在していた」とも言う。

パソコンや携帯電話が普及し始めたのは、１９９０年代半ばだ。その後、サイバーセキュリティが一般的にも知られるようになっていくが、すでにその頃からイスラエルは、敵国などからのサイバー攻撃にさらされるようになっていた。２０００年には第二次インティファーダ（パレスチナ人の蜂起）が起きているが、この時も、イスラエルは各地から激しいサイバー攻撃を受けた。そんなことから、当時、イスラエルの対策はおそらく世界水準より何歩も先を行っていたと言える。

この頃、ベンイスラエルは、政府に対して初めてサイバー空間の危険性について警鐘を鳴らしていた。「私が国防省の研究開発部門のトップだった当時、エフード・バラク首相に書簡を書いて、われわれがいかにサイバー攻撃に対して脆弱であるかを伝えたのです」。ベンイスラエルの指摘を受け、イスラエルではサイバー政策の基礎が定められ、監督者の政府と民間のインフラ運営者らの責任も明確にした。このサイバー政策の基礎が、今もイスラエルのサイバーセキュリティ政策の根底にある。

そして2011年、ベンイスラエルは包括的なサイバー対策を行える組織を首相官邸内に設置するよう要請し、官邸や内閣に直接アドバイスをする「国家サイバー局」を立ち上げた。

こうしたサイバー対策に、世界でも一目置かれたモサドが、シンクロしていく。サイバー空間での活動は活発化した。

モサド前長官のパルドは、「私たちモサドは、様々な興味深い経験をしてきた。イスラエルは建国以来、ずっと脅威にさらされてきた。とにかく、私たちはそうした様々な脅威を、早い段階で排除する必要があった。すべては、ここイスラエルに安全をもたらすためだ」と語る。

「わが社の最大の強みは、人材。スタッフは国のために何年も戦ってきた者たちであり、世界でもベストなサイバー人材だと言っていい。彼らがシステムを作り上げた」と言い、「今では、そのシステムを信頼して、オーストラリアや英国などの銀行や証券取引所、自動車産業、病院、インフラ産業へもシステムを提供している。詳細は言えないが、各地で政府にも導入している」と述べている。そのサイバー能力が世界でも重宝されているのである。

そんなパルドは、サイバーセキュリティの現状をこう見ている。「インターネットなどから派生する便利なものが溢れる今日、私たちはサイバー脅威が現実のものであることにまず気がつく必要がある。ＳＮＳやテクノロジーから様々な利点を得ているが、反対に、リスクも大きい」。

さらに、「まず、私たちはここ10～15年で、プライバシーというものを失ってしまった。過去を振り返ると、私の自宅は他人を簡単には侵入させない、まさに〝城〟だったが、今はその〝城〟はスマートフォンになった。スマホにはありとあらゆるものが入っており、外部からでも、人々が何を観て、何を考え、今何をしているのかについて、情報を獲得できてしまう。あなたに危害を与えることもできる。これが今日、私たちが直面している脅威なのだ。子供も含めたすべての人間がそんな世界におり、非常に注意する必要がある」と言う。

デジタルデバイスやインターネットなど、便利な「道具」を受け入れた私たちは、反対に「プライバシー」を手放さざるを得なくなった。それだけではない。すべての情報を奪われるリスクにも直面している。ただもう後戻りはできない。一度便利さを知ってしまえば、それを手放すのは難しいからだ。結局、サイバーセキュリティを強化しなければ、私たちの生命や財産は守ることができなくなっていくのである。

パルドは最後にこうも言っている。

「いまだに、政府がすべてを解決できるという間違った考え方をしている人たちがいる。すべての企業、すべての地方都市などが自分たちで、サイバー攻撃には立ち向かうべきである。自分たちの問題だと自覚しなければならない」。

徹底した全国民監視網を敷く中国の例

サイバー空間の監視を語る上で忘れてはいけないのが、世界最大の監視国家である中国だ。

最近話を聞いた英国の情報機関関係者は、英国のＭＩ６やＧＣＨＱ（英政府通信本部）、ＣＩＡやＮＳＡといった組織は諜報機関として世界のトップレベルにあるが、最近は、中国もかなり能力を高めていると語っていた。

その中国の、インターネット検閲・監視の実態を知ることができる、こんな話がある。香港大学ジャーナリズム・メディア学センターのキングワ・フー准教授は、独自のプログラムを作り、中国最大のＳＮＳである「Weibo（微博）」や、中国最大のチャットアプリである「WeChat（微信）」で、当局またはサーバーなどの検閲により削除される「単語」を拾って、検閲の実態を調べる研究を行っている。要は、そこで数多く消される単語こそ、政府にとって人目に触れて欲しくないものだと考えることができる。かなりの野心的な研究である。

マサチューセッツ工科大（ＭＩＴ）のメディア研究所に留学したこともあるフー准教授は、10年ほど前からこの研究を始めている。フーは筆者に、習近平国家主席がトップになってからは、彼が似ていると中国国内などで馬鹿にされている「くまのプーさん」という単語が、よく検閲で削除されていたと語った。そして２０１８年によく検閲されたものは、３月の習近平の任期撤廃が決められた際の「憲法改正」「合意しない」という言葉、11月に中国で大学教授のセクハラ問題が騒動になった際の「＃我也是（#MeToo）」、そして同じく11月に発生した福建省・化学物質流出事故の時の「福建炭化水素漏れ」という言葉や、現場から投稿された写真などだった。また12月のファーウエイ騒動の際には、「孟晩舟」「任正非（ファーウェイの創業者）」という名前が検閲され、削除されていた。国民が、国や行政に対する不信感で混乱を起こさないよう警戒している様子がうかがえる。

「微信」の検閲による削除リストには、ドナルド・トランプ米大統領や習、ウラジーミル・プーチン露大統領、安倍晋三首相などの人物が名を連ねる。フー准教授は「政府がプロバイダーやSNSサービスなどを指導し、それぞれに検閲の役割を担わせている」と言い、「中国の検閲はかなりパワフルだ」と著者に語った。

そして今、中国はこのシステムを世界中に広めようと画策している。

2017年11月、中国で「一帯一路の国々の高官へのサイバー空間管理セミナー」というイベントが実施された。

2018年5月には、フィリピンのメディア企業幹部や著名なジャーナリストを対象にした、2週間にわたるセミナーが中国で開催されている。

同じようなイベントは、サウジアラビアやエジプト、UAE、レバノン、ヨルダン、モロッコ、リビアといったアラブ諸国のメディア関係者を招いても行われ、こちらは3

週間の日程だった。またその別日程で、ベトナムやタイ、ウガンダやタンザニアなどのメディアや政府関係者などとのセミナーも行われており、「経済大国に台頭した中国に欠かせなかった検閲システム」という題目の講義もあったという。

これらは中国式のインターネット統治について学ぶのが目的だ。世界で36カ国の関係者たちが中国によるこうした「監視」トレーニングを受けており、世界では少なくとも18カ国が、中国の監視システムなどを導入していることがわかっている。

中国は国内で、「金盾工程」（グレイト・ファイアウォール）、「天網工程」（スカイネット）、「雪亮工程」（シャープアイズ）というシステムを導入し、徹底した国民監視網を敷いている。「金盾工程」はすでに述べたようなインターネットやSNSを検閲するシステムだ。この検閲には国民監視に加え、国外へのアクセスを制限し、そうすることで中国独自のインターネットサービスを育てる目的もあった。もっとも、そうした国内企業は米国のネット企業を模倣したもので、米グーグルのような「Baidu（百度）」、米ツイッターを真似た「Weibo」、米フェイスブックのような検索エンジンの「Qzone（QQ空間）」、米WhatsAppに似た「WeChat」、米ユーチューブを真似た「Tencent Video（テンセント・ビデオ)」などが有名だ。

これら「似た」サービスなどは、いくつかは米国からサイバー攻撃でソースコード(プログラムの設計図)を盗んで中国仕様に作り変えられたとも言われている。第5章で触れたが、NSAの元幹部であるジョエル・ブレナーは、著者の取材に、グーグルの検索エンジン技術の「ソースコードが、中国に盗まれてしまった」と語っている。また米ニューヨーク・タイムズ紙のサイバーセキュリティ担当であるデービッド・サンガー記者も、中国は盗んだグーグルのソースコードで「今は世界で2番目に人気となっている中国の検索エンジンである百度を手助けした」と指摘しているくらいだ。

別の国内監視システム「天網工程」は、監視カメラと顔認証技術、そしてAI(人工知能)を使って、国民の行動を逐一監視できるものだ。2018年には、天網工程のシステムとして、都市部を中心に1億8000万個ほどの監視カメラが設置されており、中国政府は2020年までにはその数を6億個に増やす計画でいる。

「雪亮工程」は地方都市をカバーする監視カメラ網のことを指す。

このように、中国では全国民の動きはすべてAIで監視されている。米国内の監視カメラの数は合計で5000万個ほどだというから、中国の徹底ぶりは恐ろしいほどだ。

おそらく、人類史上、ここまで人の自由を奪えるシステムは初めてだと言っていい。

とにかく、これこそが、世界のサイバー空間の実態だ。サイバー攻撃は、スパイ作戦から国内監視などにも使われているのである。

さらに近い将来に、５Ｇ（第5世代移動通信システム）が各地で導入されることになれば、高速通信と大容量通信などが可能になり、ますます社会のデジタル化が進む。私たちの日常的なプライベートから社会生活、経済活動などすべてが大量のＩｏＴ機器などで接続される。そうなると、個人の情報はスマホなどのデバイスにより集約されることになり、そのデバイスに、私たちの生命財産に直結する情報が保存される。健康情報や銀行取引など、すべてがデバイスで行われるのだ。

そうなれば、泥棒は家に強盗に入って現金を盗む必要はない。スマホなどのデバイスにサイバー攻撃で「侵入」すればいいのである。リスクも空き巣をするよりも低い。

そんな時代に私たちは生きていることを、改めて自覚する必要がある。

第8章

取り残される日本

日本にある足かせと「サイバーの傘」

遅れる対策、足りない人材
課題は千人力となるトップガンの養成

ここまで、世界各地で繰り広げられているサイバー戦争の今を見てきた。忘れてはいけないのは、サイバー空間には国境がないということだ。米国だろうが中国だろうが、ロシアだろうが北朝鮮だろうが、能力さえあれば簡単に他国への攻撃が可能になる。

それは日本も例外ではない。他の国と同じように、サイバー攻撃のリスクにさらされている。

にもかかわらず、対策の面では、日本にはまるで国境があるかのようで、国外との意識の差が歴然としている。サイバー攻撃を現実のものとして扱っている他国には追いつけていないのが現状だ。

例えば、人材。日本の防衛を担う防衛省や自衛隊には、「サイバー防衛隊」と呼ばれる組織が存在する。だがこのサイバー部隊には、220人ほどの隊員しかいない。これは、諸外国と比べてあまりにも少ない。専守防衛を建前としている日本とは比較しづらいが、米サイバー軍は6200人以上、NSA（米国家安全保障局）にも米国が誇る凄腕ハッカーを千人規模で抱えている。フランスには2500人のサイバー部隊があり、ドイツは1万4000人ほどと言われている。イスラエルのサイバー部隊は2000人以上、北朝鮮のサイバー部隊ですら6000人を超えている。中国に至っては、軍の内外に数百万人規模のサイバー人材をかかえている。もちろん人数がすべてではないが、明らかに日本が頭数で劣っているのがわかる。

2018年4月、自民党サイバーセキュリティ対策本部は、サイバー攻撃対策に関する提言書を安倍晋三首相に提出。安倍首相はその際、「わが国はサイバーセキュリティでも先進国とならなければならない」と語っている。日本政府はサイバー対策の重要性を国として認識している。

防衛省・自衛隊の関係者たちも、国家のサイバーセキュリティ強化への大きな課題のひとつは人材の確保だと口を揃える。

しかし先行きは決して明るくない。

ある自衛隊幹部は言う。「よく自衛隊のサイバー部隊は100人程度などと言われますが、もちろん防衛省全体で見ると、防衛省・自衛隊を守っている人はもっと多いです。海上自衛隊、航空自衛隊、陸上自衛隊はそれぞれが、自分たちのシステムを守っている。それらの隊員も合計すれば、全体で430名ほどになる。それを少ないと見るか、多いと見るかは賛否あるのですが」。

現在、防衛省・自衛隊は年間に100万件以上のサイバー攻撃を受けている。そんな状況下で、現在の人数では対策が追いついていないというのが現実だ。「防衛省では民間と自前のソフトウェアを組み込むことで何重にも強固な多層防御システムを構築し、インターネットと接続できる口を一箇所だけに絞って監視しています」と、この幹部は述べ、防衛省・自衛隊がまだ守りを破られていないと自信を見せた。

だがそう言いながらも、「サイバー攻撃の数は年々、増加しているし、その手口も巧妙化・高度化していますからね。いつ破られるかもわからない。人材が不足しているというのは、みんなの共通認識であり、人材強化は不可欠なのです」と、認めている。

専守防衛の日本では、サイバー攻撃に対する防御能力は磨かれているとの向きもある。

だが、それでも不十分だという指摘もある。「サイバーの世界は、状況も技術も、攻撃の内容も、どんどん変化しています。そんな時代に対応するべく、凄腕の高度な人材というのがこれまで以上に必要になってきているのです。現代は、そんな〝トップガン〟と呼ばれるような人材なら、1人で1000人に匹敵するようなことができる時代ですからね。われわれもそういう人材が欲しいのですが……そう簡単にはいかないのが現実ですね」。

〝トップガン〟というのは、「トップクラスの優秀なサイバー要員」「凄腕のサイバー技術をもつ人」のことを指している。このトップガンという言葉は、日本でサイバーセキュリティを担っている政府関係者や防衛関係者と話をしていると、よく飛び出す単語である。

そもそも自衛隊のサイバー防衛隊は、基本的にはもともと通信畑の隊員たちが多かった。最近でも多くは生え抜きだという。そして、そこからトップガンの人材を輩出するのは容易なことではないのだと、この幹部は認めている。

さらに、「生え抜きは米大学などに毎年派遣しています。国内でも情報セキュリティの関係機関に人を送ったりもしています。でもトップガンと言われている人たちのレベルになるまでには、大変な時間が必要になります。訓練には実践も含めて5年とか、10年のスパンが必要になる。しかも投資しても、トップガンになれるのは本当に一握りの人材しかいない。しかしながらどうも最近のサイバーセキュリティの状況を見ていると、そんな悠長な期間をみていては、対策が追いつかないのです。そう思いながらも、現状はとりあえず教育を続けているという苦しい状態にあります」。

米国など諸外国でも、優秀な人材をリクルートして生え抜きとして育てているだけではない。セキュリティ企業など外部からのコントラクター（契約職員）を迎え入れることによって層を厚くしているのが現実だ。日本でもどんどん外部の民間などから、トップガンと言われるような、または、トップガンになっていくような人材を集めたほうがいいのではないだろうか。

実は、防衛省には「官民人事交流制度」という制度がある。この制度は、民間企業から一定期間、人材を受け入れるというもの。だが現実には、あまり活用されていない。ある防衛省関係者は、この制度で防衛省に来たことがある人の合計は、「一桁しかいない」と漏らしていた。

そこには、公務員ならではの「規定」が邪魔をしている。この関係者は続ける。「まず防衛省と自衛隊には予算上で認められた定員数がある。民間からも、予算的に認められた数の人たちに来てもらうことになるのだが、もともとこの予算が少なすぎる。だからこの外部からの定員というのも、削られる方向になってしまっている。そんな状況があって、民間から来てもらうことができなくなっている」。

別の切実な問題もある。「トップガンというような人や、ホワイトハッカー（善意あるハッカー）と言われる人たちは、公務員の給与体系とまったく違う世界で暮らしている。9時出勤で5時まで働くというのはなじまないでしょう。勤務体系も時間の使い方も、たぶん我々とまったく違う感覚で生きていると思う。公務員は、勤務時間もきっちり決められていて、給与も法律であらかじめ規定されている。プラスアルファは残業くらい。その給与体系に、ウンと言ってくれるかどうかは微妙です」。

一方、「特定任期付職員制度」という弁護士などの専門性のある高度な人材を招き入れる制度もある。この制度には期待が集まっているという。「特定任期付職員制度では、外部から来た専門家には給与などを上乗せすることも可能になるのです。今後は、こうした制度を使って人材を確保したいという声があります」と、防衛省関係者は主張する。

そうした背景から、防衛省では、年収2300万円でトップ人材を募集すると報じられている。ただこれにも疑問符がつく。

　筆者は世界各地でサイバー部隊関係者に取材をしてきたが、真っ先に感じるのは、部隊員の「愛国心」である。もちろん民間のサイバーセキュリティ職に比べると、国や軍の部隊では給料面でかなり劣るが、その分、国家が使っている最新鋭のサイバー攻撃ツールなどに触れることができるし、国民を守ることができるという喜びがあるという人が少なくない。米国では、国が使う最新のテクノロジーと技術力を実践の世界で使いながら、自分のハッキング能力などを生かしたいと組織に入る人も多い。

　また諸外国ではトップレベルのハッカーたちが働く政府や軍の組織でも、給料はべらぼうに高くない。例えば米国では、有能なハッカーを抱えるNSAでも、一般的に6万ドル～10万ドルほどの給与だと言われているし、英国でハッキングなどを担う政府通信本部（GCHQ）でも、3万4000ポンドからだといわれる。もちろん最終学歴や職歴、キャリアが優れていればさらに金額は変わるが、民間サイバーセキュリティ企業の給与と比べると随分低い。ただこれらの国家的な仕事を経てから民間企業に入った元職員などは、かなりいい待遇で迎えられ高給が得られる傾向にある。国家的な機関での経験が民間で有利になるのである。

人材の確保は、カネだけでは解決できないのではないだろうか。日本も、そういった議論をさらに深めていく必要があるだろう。

数百億個のＩｏＴ機器から一斉に攻撃される可能性も

サイバー攻撃の脅威は、いまや世界共通であり、日本も攻撃にさらされている。日本の憲法や法律がどんなことを謳っていても、国外から身元を隠して遠隔操作で攻撃を行えるハッカーらには関係ない。では日本に起きている被害には、どんなものがあるのか。

例えば安全保障に関わるケースでは、２０１１年に、三菱重工業の潜水艦や原子力発電施設、ミサイルなどの研究製造拠点がサイバー攻撃でマルウェアに感染している。また衆参両議院のコンピューターがサイバー攻撃を受けて情報を盗まれたケースもある。

これらの攻撃よりも恐ろしいのは、２０１４年に福井県にある高速増殖原型炉もんじゅを襲ったサイバー攻撃だ。動画ソフトの更新機能を悪用した手口によって、もんじゅの中央制御室に設置されたコンピューターがマルウェア（悪意ある不正プログラム）に感染、ネットワーク上にあるパソコンが不正にアクセスされていたことも判明している。結局、パソコンに侵入されたことで、パソコン画面のキャプチャー画像が撮られ、ユーザーデータなどの情報が盗まれた。この攻撃は、攻撃者がその気になれば、第2章で詳述した、イランの核燃料施設を破壊した「オリンピック・ゲームス作戦」と同じか、それ以上の惨事を引き起こす可能性があった。

一方でサイバー犯罪を見ると、2015年に日本年金機構から125万人分と言われる個人情報が盗まれたことはすでに述べた通りだ。2016年には日本全国のATMから、早朝の2時間という短時間に、18億6000万円が偽造カードで一斉に引き出された事件が起きている。この事件では、南アフリカのスタンダード銀行がサイバー攻撃でハッキングに遭い、そこで盗まれた個人情報で偽造カードが作られており、実は国境を越えた事案だった。

2017年にはドイツのグループ会社に設置されていた電子顕微鏡の操作装置を介して、日立製作所がランサムウェア（身代金要求型ウイルス）に感染していた可能性が指摘されている。また同年9月には、日本航空がビジネスメール詐欺（BEC）と呼ばれる取引先を装う偽メールにより、約3億8000万円ほどを騙し取られて話題になった。

2018年1月には、仮想通貨交換業者コインチェックから、北朝鮮の政府系ハッカー集団によると見られるサイバー攻撃で約580億円分の仮想通貨が盗まれている。こうした被害は枚挙にいとまがない。

さらに今後は、日本の政治にも中国などのライバル国がサイバー攻撃で介入してくる可能性もある。2016年の米大統領選で、ロシアの諜報機関がサイバー攻撃で民主党全国委員会のサーバーに入り込んで民主党に不利になる内部情報を盗んで公表したり、民主党候補だったヒラリー・クリントン元国務長官のプライベートの電子メールをサイバー攻撃で盗み出して公開するなど、サイバー空間からの選挙介入が選挙結果に影響を与えたことが問題になった。このことは第3章で触れたが、同じことが日本でも起きる可能性がある。日本の政権幹部がプライベートでやりとりしている電子メールやメッセージがサイバー攻撃で漏洩したら、議論を呼ぶのは間違いない。政党のサーバーが中国のハッキング部隊に破られ、代議士の身辺調査や健康状態、そのほか外に出てはまずい内部文書がサイバー攻撃で盗まれたら、どうなるのか。外国のハッカーがサイバー攻撃で得た野党の不都合な情報を、SNSの偽アカウントでばら撒いたり、SNSの広告を使って広く拡散させたり、メディアに提供したりするかもしれない。つまり、ライバル国の政府が日本の選挙の行方に多大なる影響を与えることは、サイバー攻撃を駆使すれば可能だ。

攻撃者は最初からストレートにターゲットを狙わない。セキュリティ意識が低い、地方の政党支部のアルバイト職員などをまず攻撃し、そこから徐々に本丸に近づいていく。中国なら、得意とするＡＴＰ攻撃（持続的標的型攻撃）で時間をかけてターゲットのアカウントやデバイス、システムに静かに入っていくだろう。体調が芳しくない閣僚でもいれば、その健康状態がわかる情報を盗み、悪用する可能性もある。事実、4章の中国が行った近年のサイバー攻撃リストでも触れたが、シンガポールでは、体調が思わしくないリー・シェンロン首相の医療情報やカルテが、中国のサイバー攻撃で盗まれていたことが判明している。

こうした事態が明日にでも起きてしまいかねない時代に、私たちは生きているのである。

日本ではこうしたサイバー攻撃にどう対処するのか。

２０１４年に「サイバーセキュリティ基本法」が制定された日本では、ＮＩＳＣ（内閣サイバーセキュリティセンター）が発足している。彼らは情報を収集し、各省庁や業界団体に指導などを行うことが仕事であり、サイバーセキュリティを実践することはない。あるセキュリティ専門家は以前、「ＮＩＳＣは消防車や救急車を持たない消防庁のようなものだよ」と痛烈に皮肉ったことがあるが、言い得て妙である。

また、本章の冒頭で触れた「サイバー防衛隊」という組織は、自衛隊とそのシステムを守るために作られたものであり、国民を直接的には守ってくれない。人員も不十分だ。最近では２０１８年12月、防衛計画の大綱と中期防衛力整備計画（２０１９～23年度）が閣議決定された。そこで「死活的に重要」であるサイバーの強化を掲げ、アクティブ・ディフェンス（積極的な防衛体制）にも言及した。そして「我が国への攻撃には宇宙・サイバー・電磁波の領域を活用して攻撃を阻止・排除する」とした。

また日本のインフラなどが海外からサイバー攻撃を受ければ、自衛隊による防衛出動もあり得るとの話も出ている。弾道ミサイルの攻撃や侵略行為などと併せて日本がサイバー攻撃を受けた場合に、ＤＤｏｓ攻撃（大量データを送りコンピューターなどを麻痺させる攻撃）で反撃するとも検討されている。さらには、そうした攻撃に備え、防衛省のサイバー防衛隊などは、サイバー反撃能力に応用できる能力を学んでいるという。加えて、日本を揺るがすようなサイバー攻撃を受けた際に、ウイルスやバックドアなどサイバー工作で攻撃者側のシステムに入り込んで攻撃を阻止するという作戦も検討されているとの話もある。だがこうした話は、あくまで「検討」という域を出ておらず、世界のサイバーセキュリティをめぐる対策のスピードに、後れを取っていると言わざるを得ない。

とはいえ、時代は待ってはくれない。日進月歩でテクノロジーは進化を続け、私たちの生活にも新たなサービスが次々と登場している。例えば、ＩｏＴだ。

現在、世界には３００億個を超えるＩｏＴ機器が設置されているとされる。スマートテレビや監視カメラ、デジタルビデオレコーダーや複合機、自動運転車などがインターネットにつながり、遠隔操作を可能にしている。それが近々、爆発的に増加すると見込まれている。その背景にあるのは、日本でも２０２０年からサービスがスタートする５Ｇ（第５世代移動通信システム）である。５Ｇでは、通信速度は現在の４Ｇ通信と比べて約１００倍、データ容量は約１０００倍にもなると言われている。つまり現在と比べものにならないくらいの同時多接続を可能にし、具体的には1平方キロあたり、約100万台の機器を接続できるようになる。

5GがIoT機器を劇的に急増させる起爆剤となり、近い将来には、家電だけではなく、仕事から日常生活、健康状態から生体情報までを自動的に管理する医療系デバイスなど、私たちの身の回りではほとんどのモノがインターネットに接続される時代になる。米シスコシステムズの予測によれば、2030年までに、5000億個のIoT機器がネットワークにつながれることになるという。

現在でも世界中でかなりの数が設置されているが、数が多ければそれだけ、サイバー攻撃のリスクも高くなる。2016年には史上最大級と言われるDDoS攻撃がIoT機器を使って行われ、大きな話題になっている。

すでに述べたとおりだが、20歳代前半の3人組が「Mirai」というマルウェアを作成し、遠隔操作できるIoT機器を60万台近くも自分たちの支配下に置いていた。この機器が世界のあちこちで標的を攻撃し、世界規模でインターネットに接続しづらい事態になった。今後、IoT機器が激増すれば、そうした攻撃の可能性も高まるし、政府や軍など安全保障分野にも、こうした攻撃が悪用されていくことにもなりかねない。対策は、待ったなしなのである。

そこで総務省は2019年2月20日から、サイバー攻撃に悪用される危険性のあるIoT機器を調査する取り組みを開始している。『NOTICE（National Operation Towards IoT Clean Environment）』と呼ばれるこの試みでは、日本中にあるインターネットとつながるIoT機器に、推測されるパスワードを入力するなどしてセキュリティの弱い機器をあぶり出し、機器利用者へ注意喚起することを目的としている。

だがこの対策は、海外ではあまり評判が良くない。2019年2月、米TV局CNNは、「日本は、インターネットにつながった機器によるリスクを警告する目的で、自国の国民をサイバー攻撃でハッキングするという過激な措置を始める」という記事を掲載した。確かに「荒療治」だと言える。

国外の専門家に話を聞くと、「ハッキングするまでもなく警告を出すだけで済む」「総務省などを装った偽の注意喚起による別のサイバー攻撃が増える」といった批判的な声が聞かれた。もちろんそれらの意見には一理あるが、日本のようなサイバーセキュリティに対する危機感の薄い国では、IoT時代の到来を前に、NOTICEのような野心的な取り組みも理解できる。2020年には東京オリンピックも迫っているため、こうした対策はＰＲとしても有効だと考えたのかもしれない。とにかく、何もしないよりは評価できる。

米軍だってレッドチームを作り、軍や政府機関に予告なしにサイバー攻撃を行って、実際の攻撃に向けた予行演習をしたりしている。民間のサイバーセキュリティ企業の中には、実際に企業をサイバー攻撃するなどして弱点を調べる「ペネトレーション（侵入）・テスト」というサービスを提供している企業もある。だが日本の中央省庁では、日常業務に支障が出ないようにという配慮だろうが、前もってサイバー攻撃をする旨を伝えてから対処訓練をしているという。そんなやり方では生ぬるいとも言える。とにかくどんどんこうした対策を進めていくべきだろう。

アメリカによる「サイバーの傘」で日本は本当に守られるのか

最近、「脅威インテリジェンス」と呼ばれるサイバーセキュリティ対策が台頭している。このサイバー脅威インテリジェンスというサービスが聞かれるようになったのは、数年前のことだ。サイバー攻撃の兆候を事前に察知し、攻撃についての情報収集をして分析する。脅威インテリジェンスの情報によって、攻撃される側は積極的なセキュリティ対策を行うことができるのだ。データ流出を防いだり、サイバー攻撃事案が起きた際の復旧作業などの金銭的コストをセーブできる。

脅威インテリジェンスの市場は、2025年までに130億ドルを超えるとも言われている。さらに今後、5Gの到来で様々なものがネットワークにつながれば、サイバー攻撃のリスクは高まり、脅威インテリジェンスの需要はさらに大きくなる。サイバー専門家の多くは、この脅威インテリジェンスが、サイバーセキュリティ対策の新たな潮流の一つだと見る。

脅威インテリジェンスでは、ダークウェブや暗号化されたツール、SNSや掲示板など、ありとあらゆるソースから情報を集める。そうしてサイバー空間での悪意ある動きを拾っていく。例えば、普通ではアクセスできないダークウェブには、そのさらに奥深くに、簡単にはアクセスできないフォーラム（掲示板など）が存在する。ハッカーたちが情報を交換しているような場所もあり、そういうところに自分もハッカーとして参加して、情報を集めている人もいる。監視するために自動のプログラムを送り込んでいるセキュリティ関係者もいる。

そうした場所では、ハッカーらの動きを知れることから、世界の情報機関や警察当局などは、バーチャル・エージェント（仮想の捜査員）を送り込んでいる。ある英国系の諜報部員は以前、筆者の取材に「欧米の諜報機関では、ダークウェブで５００〝人〟ほどの仮想のエージェントを運用して、ハッカーらの動きを監視しているところもある」と話していた。エージェントと言っても、つまりは、情報を収集するボット（自動で動くプログラム）である。

ダークウェブには、日本の警察も入って情報収集をしているという。ただ奥深くには入り込めておらず、その能力には限界があると聞く。もちろん、怪しい情報も多いため、情報を集めるだけでなく、分析できる能力も必要になるが、日本はその部分は弱いと言われている。

そんなことから、日本の当局は、国外の民間サイバーセキュリティ企業に脅威インテリジェンスの部分を頼っている現実がある。

そもそも日本ではサイバー攻撃の捜査などを行うのには、いくつも足かせがある。脅威インテリジェンスで言えば、ダークウェブで捜査をするのにボットを作ったりすることも日本の法律では許されない。現役のサイバー関係捜査員によれば、「そうした捜査でプログラムを作れば、ウイルス作成罪になります。マルウェアを作成して、証拠を収集することは刑法の罪を犯しての捜査になるのです」と語る。さらに、例えばサイバー攻撃を日本国が受けた場合、海外からの攻撃者を突き止めるために攻撃の発信元を探ることにも限界がある。「日本の法律で外国のサーバーに侵入することはできません。外国の主権を侵害することになるからです。サーバー設置場所の国の捜査機関に捜査を依頼するしかありません」と、捜査員は言う。

そのほかにも、憲法では「通信の秘密は侵してはならない」と規定しているし、不正アクセス禁止法という法律もある。まずはこうしたところで、法整備をする必要がありそうだ。

日本はテクノロジーやサイバー能力でポテンシャルがあるだけに、現状を憂う外国人のサイバーセキュリティ専門家も少なくない。脅威インテリジェンスのサービスを世界各地で展開しているあるイスラエル企業の幹部も、次のように語ってくれた。「人海戦術では中国に勝てないかもしれないが、強固なサイバーセキュリティツールなど、クオ

2019年4月の2プラス2。右から岩屋防相、河野外相、M・ポンペオ国務長官、P・シャナハン国防長官代行（※役職は当時のもの）　写真：AP／アフロ

リティで勝負することは十分できる。日本はサイバーセキュリティでも世界のリーダーになれると感じています。つまり、世界は（安価で信用の低い）ファーウェイを求めてはいない。自由な社会に属し、信頼のある日本メーカーを求めているのです。それを忘れて欲しくないと思っています」。

そんな日本だが、２０１９年4月に日本のサイバーセキュリティ分野にとって重要な動きがあった。

同月19日の朝早くから、米ワシントンで日米の外務・防衛担当閣僚による安全保障協議委員会（2プラス2）が行われた。日本からは河野太郎外務大臣（現・防衛大臣）

と岩屋毅防衛大臣（当時）が、米国側からはマイク・ポンペオ国務長官とパトリック・シャナハン国防長官代行（当時）が参加して、安全保障に関する協議が行われた。

この2プラス2では、初めて、日本に対するサイバー攻撃には、米国の対日防衛義務を定めた日米安全保障条約第5条が適用されると明文化された。岩屋防衛相は、「サイバー攻撃が、日米安全保障条約5条の定める武力攻撃に当たる場合があり得ることを確認した。サイバー空間における日米共同対処の可能性を明確にするもので、抑止の観点から極めて重要だ」と述べた。要は、日本がサイバー攻撃を受けた場合、米国が集団的自衛権を行使して、日本のために戦ってくれることになるのだ。

もっとも、今回の合意より前から、米国と日本はサイバー攻撃に対しても互いに助け合うと了解していた。集団的自衛権の行使を可能にする安全保障関連法が２０１５年に閣議決定された後（施行は２０１６年3月）、防衛省は同盟国へのサイバー攻撃も集団的自衛権の対象になると述べていた。しかも、２０１１年からサイバー協議を進めていた日米両政府は、同じ２０１５年に日米防衛協力に合意している。これは、「日本の安全に影響を与える深刻なサイバー事案が発生した場合、日米両政府は緊密に協議し、適切な協力行動をとり対処する」というものだった。

要するに、この了解事項を今回、はっきりと明文化して合意し、それぞれの代表が世界に向けて大々的にアピールしたのだった。

これは日本のサイバー政策にとっては大きな動きだと言える。なぜなら、日本は今回の2プラス2で、「核の傘」と同様に「サイバーの傘」を得る正式な合意を得たと考えられるからだ。

どういうことか。軍や情報機関などにいる米国サイバー攻撃チームの攻撃能力は世界で最高レベルである。他国を大規模な混乱に陥れたり、インフラを麻痺させるなど人的被害を生むことも、サイバー攻撃で実施できる。破壊行為だってお手のものだ。というのも、米国は長年、莫大な予算でサイバー攻撃ツールを研究開発し、攻撃能力を鍛えてきたからだ。すでに述べた通り、米軍は２０１１年の段階で、秘密裏に自分たちの所有する武器弾薬のリストに初めてサイバー兵器を含めている。そこではサイバー兵器の使用条件や使用法が、他の武器同様に明記されているのである。

米国は10年前の時点ですでに攻撃的サイバー工作を実用兵器として使っていたということだ。米国が今でも世界で最も進んだサイバー大国であり、サイバー兵器を保持し、優秀なチームを誇っているのは当然と言えよう。

　元米国務次官補で米ハーバード大学のジョセフ・ナイ特別功労教授は以前、サイバー領域は核兵器という強力な武器を背景に第二次大戦後の世界が東西に分断され、混乱の中で冷戦対立がエスカレートしていた時代に似通っていると主張していた。サイバー攻撃がまるで、核兵器であるかのようだと指摘していたほどである。

　2プラス2の合意を「サイバーの傘」と表現するのも、言い過ぎではないということがわかるだろう。そして日本は、今回の合意により、サイバー空間での抑止力を手にしたのだ。他力本願ではあるが。

　そもそも日本では、攻撃能力を持つことに議論がある。日本では刑法でウイルスなどを含むマルウェアの作成や保管が禁じられているため、攻撃ツールを作れるのかという問題も指摘されている。防衛装備品として保有することができるのかも検討が必要だ。

　またサイバー攻撃を受けた際の反撃にも、専守防衛を謳った憲法9条との関係を考える必要がある。岩屋防衛相は、重要インフラがサイバー攻撃を受けるなどして「損害が国民の生命、自由、幸福追求の権利を覆すようなレベルに達していると判断されれば(自衛権を)発動できる」と発言している。だが、その「レベル」の線引きは難しいし、長期的に機密情報を盗んだり、軍備やインフラを徐々に無効化することで国家を破壊するような攻撃が行われたり、サイバー攻撃で大手企業などを疲弊させ国力低下を目論む攻撃もある。

さらにサイバーセキュリティ専門家の間で「アトリビューション」と言われる問題にも直面する。アトリビューションとは、攻撃元を特定することを指すが、サイバー攻撃では攻撃元、つまり誰に攻撃されたかを特定するのがそもそも容易ではないし、それをしようとすると時間も予算もかかり、相応の人員も必要になる。そんな中で、自衛権を行使して反撃に乗り出せるほど、確実に攻撃者を特定できるのか。仮に攻撃に使われたコンピューターを特定できたとしても、誰がそのコンピューターの前に座り攻撃を実行したのかは、突き止めるのが難しい。もっと言えば、そうしたサイバー攻撃(武力行使)の背後にある国家の意思をどう認定するのか。ミサイルなどのように誰が発射したのかが明らかな攻撃とは違うのだ。

従来の戦争とは概念そのものが違う。それを踏まえてどう判断するのか。どう反撃するのか。

残念ながら、日本ではまだそんな議論も深まっていない。サイバー大国の米国が、安全保障に関わる懸念として、イランの核燃料施設をサイバー攻撃で破壊したケースは先に触れたが、それが10年も前のことである。悲しいくらいの差があることがわかってもらえるはずだ。

また、予算を見ても歴然だ。日本ではサイバー防衛予算が年々増えており、2019年度は852億円が計上されているが、米国や中国の予算は2兆円規模に上っている。

それらのことを鑑みると、2プラス2で米国の傘の下に入ったことを世界に喧伝したというのは、現時点で最善の方法であり、最も賢明な判断だったのかもしれない。米国や中国、ロシアや北朝鮮、イランなどが群雄割拠する無法地帯のサイバー空間で、それが今の日本が取れるベストな方法だと言える。

しかしその反面、サイバー空間の安全保障においても、日本はまだ独立できていないことを図らずも世界に披露してしまった。米国の「サイバーの傘」の下に身を潜めている状態なのである。

とはいえ、世界各地のサイバーセキュリティ専門家や情報関係者などと話をすると、ほとんどが日本人の高い技術力を評価している。筆者としては、今後は徐々にでも、独自に予算や技術力を投入して、サイバー空間で自立していく日本の姿が見たい。その道のりは遠いと言わざるを得ないが、不可能ではない。

日本では今、総務省を中心に「サイバーセキュリティ庁」の設立案が浮上している。いいアイデアだと思うが、そこにはサイバー防衛隊という実働部隊も密に連携するようにして、日本人の生命財産をサイバー攻撃の脅威から守ることを願う。それが抑止力にもなっていくはずだ。

今後は個別的自衛権を行使できるサイバー攻撃の実働部隊も必要になるだろう。そのためには法整備が欠かせない。それを推し進める、サイバー分野を深く理解した強い牽引役の登場が必要だ。何度でも言うが、すでに出遅れている日本は、早急に動かなければならないことを自覚すべきだ。

あとがき

　サイバー空間では今、冷戦時代のような分断が生じ始めている。米国をはじめとする西側の価値観を持った国々と、中国やロシアなど強権的な国家との間に、深い溝ができる可能性が指摘されているのである。

　これまでもサイバー空間においては、自由で平等な利用と国際法に則った行動規範を作りたい欧米諸国を中心とした国々と、独自のルールや行動規範を堅持したい中国やロシアとの間で対立が続いてきた。言うまでもなく、中国やロシアでは国民がアクセスできるインターネットが制限されている。彼らは自国のサイバー空間における主権を主張し、独自の価値観で統治しようとしている。

　すでに述べたが、国連は、2004年から、サイバーセキュリティに関する国連政府専門家会合（GGE）を設置して、国際的な決まりを作ろうと協議を続けてきたが、現時点で大した成果は出せていない。そんな中、2019年にはサイバーセキュリティに関する国連オープン・エンド作業部会（ＯＥＷＧ）による取り組みが始まり、ＧＧＥよりも多くの国が参加して、サイバー空間における規範について議論が始まっている。だが、中国やロシアとの考え方の隔たりは大きく、そう簡単には溝を埋められそうにない。

両陣営の分断はこうした「行動規範」だけにとどまらない。

ＡＩの分野でもこんな指摘がある。ＡＩというのはデータによる機械学習が基本で、マシーンの判断力は蓄積されて分析されるデータの総量によって左右される。例えば顔認証技術。人の顔を監視カメラなどで識別するには、カメラが捉える人々の顔のイメージがデータとしてＡＩプログラムに入っている必要がある。さらに１人の人間でも、顔の角度や光の当たり具合、表情などのデータがあればあるほど、顔認証の精度は上がる。

この分野では中国が世界をリードしているが、その理由はデータを簡単に蓄積できるからだ。人権もプライバシーも関係のない中国では、政府が思うように国民のデータを吸い上げることができる。顔も同じ。パスポートや運転免許証などＩＤの顔データを入力し、街中で人の顔を許可なく撮り続けて、どんどん精度を上げている。テクノロジーが洗練されていき、さらに技術力が進化する。

一方で、欧米や日本ではどうか。最近欧州では、GDPR（EU一般データ保護規則）という個人情報保護法制が2018年から施行されている。GDPRは、様々な個人のデータを勝手に使えなくする規制で、人権やプライバシーに十分配慮した仕組みになっている。米国や日本でも個人のデータの扱いにはかなりの注意が必要になる。

これら両者を比べて、近い未来には、どちらがテクノロジーの進化で勝利できると思うだろうか。思うがままにリソースを集められる中国のような国が有利になるのではないか。その間、米国などは人権やプライバシーといった規制に縛られ、そうした懸念のいらない中国のような国の後塵を拝することにもなりかねない。

どちらがこれから繁栄するのか――。そんな価値観の衝突が起きつつある。

中国はさらに、本著ですでに述べたとおり、「一帯一路」（シルクロード経済圏構想）で目指す経済圏に含まれる途上国を中心に、陸上（一帯）と海底（一路）の通信インフラや監視システムなどを安価に設置していると言われている。中国から資金をローンしてまで、導入している国もあるくらいだ。そうして、サイバー空間でも巨大な「一帯一路ネットワーク」を目指しているのである。

またファーウェイの問題もある。2025年までには技術大国に、2049年までには世界経済を支配するとしている中国は、その目標を達成するために、国内の民間企業とも密につながり、資金援助や産業補助金などを提供して、世界シェア拡大などを後押しする。それによって、中国製品が世界で安価な製品を販売して、シェアを広げることが可能になっていると見る専門家は多い。

そうなれば、中国が率いていくデータ・テクノロジーやサイバー経済圏と、欧米の価値観でビジネスを行う国々とが対立する「サイバー冷戦」の様相にすらなる可能性がある。

そんな課題を前に、世界で起きている現実と、日本の状況について、本著から感じ取っていただけたなら幸いである。情報は咀嚼して初めて、価値のあるインテリジェンスとなる。日本はそんな世界で暮らす準備ができているのだろうか。自らの足で立って、自分たちの価値観を守ることができるのか。本著がそんな議論を行うきっかけとなることを願わずにはいられない。

2019年12月　山田敏弘

The Brookings Institution
https://www.brookings.edu/topic/defense-security/

Atlantic Council Cyber Statecraft Initiative
https://www.atlanticcouncil.org/programs/scowcroft-center-for-strategy-and-security/cyber-statecraft-initiative/

The Wilson Center, Science and Technology Innovation Program
https://www.wilsoncenter.org/program/science-and-technology-innovation-program

Foreign Policy
https://foreignpolicy.com

The Daily Beast
https://www.thedailybeast.com

Computer Weekly
https://www.computerweekly.com

The Register
https://www.theregister.co.uk/

The Washington Post
https://www.washingtonpost.com

The Wall Street Journal
https://www.wsj.com

The New York Times
https://www.nytimes.com

Reuters
https://www.reuters.com

Schneier on Security
https://www.schneier.com/

Krebs on Security
https://krebsonsecurity.com/

主な参考資料

Zetter, Kim. Countdown to Zero Day:
Stuxnet and the Launch of the World's First Digital Weapon. Crown, New York. 2014.

Reyes, Matt. Cyber Security:
How to Protect Your Digital Life, Avoid Identity Theft, Prevent Extortion, and Secure Your Social Privacy in 2020 and beyond. Independently published. 2019.

Amoroso, Edward G. Amoroso, Matthew E. From CIA to APT:
An Introduction to Cyber Security. Independently published, 2017.

Diogenes, Yuri. Ozkaya, Erdal. Cybersecurity
– Attack and Defense Strategies:
Infrastructure security with Red Team and Blue Team tactics. Packt Publishing, Birmingham. 2018.

Kaplan, Fred. Dark Territory:
The Secret History of Cyber War. Simon & Schuster, New York. 2016.

Sanger, David E. The Perfect Weapon:
War, Sabotage, and Fear in the Cyber Age. Crown, New York. 2018.

Clarke, Richard A. Knake, Robert K. The Fifth Domain:
Defending Our Country, Our Companies, and Ourselves in the Age of Cyber Threats. Penguin Press, New York. 2019.

Sciutto, Jim. The Shadow War:
Inside Russia's and China's Secret Operations to Defeat America, Harper, New York. 2019.

Gorka, Sebastian. Why We Fight:
Defeating America's Enemies - With No Apologies. Regnery Publishing, Washington, D.C. 2018.

Scott, James. China's Espionage Dynasty:
Economic Death by a Thousand Cuts. Independently published. 2019.

山田敏弘（やまだ・としひろ）

国際ジャーナリスト。米マサチューセッツ工科大（ＭＩＴ）元フエロー。講談社、ロイター通信、ニューズウィーク日本版などに勤務後、ＭＩＴを経てフリーに。ニューズウィーク日本版やフライデー、週刊文春、週刊新潮、週刊ポスト、週刊現代などにて記事を執筆するほか『朝まで生テレビ』『特ダネ』『教えて！ニュースライブ　正義のミカタ』『Abema TV』などテレビにも定期的に出演。大手ニュースサイトなどでもいくつも連載を持つ。著書に、ＰＣの脆弱性を利用する大国間のサイバー戦争を扱った『ゼロデイ　米中ロサイバー戦争が世界を破壊する』（文芸春秋）、ムンバイテロを引き起こしたパキスタン過激派ラシュカレ・トイバに迫った『モンスター　暗躍する次のアルカイダ』（中央公論社）、マリリン・モンローやロバート・ケネディ、ジョン・ベルーシなどを検死しＤｒ．刑事クインシーのモデルになった日本人検視官トーマス野口の半生を綴った『ハリウッド検視ファイル　トーマス野口の遺言』（新潮社）、ＣＩＡのインストラクターだった日本人女性のキヨ・ヤマダに迫った『ＣＩＡスパイ養成官　キヨ・ヤマダの対日工作』（新潮社）などがある。

サイバー戦《せん》争《そう》の今《いま》

ベスト新書
607

二〇二〇年一月五日　初版第一刷発行

著者　山田《やまだ》敏弘《としひろ》
発行者　小川真輔
発行所　株式会社ベストセラーズ
〒171-0021
東京都豊島区西池袋5-26-19　陸王西池袋ビル４階
電話　03-5926-5322（営業）
03-5926-6262（編集）

装幀・本文デザイン
フォーマット　小口翔平＋喜來詩織＋永井里実（tobufune）
印刷所　坂川事務所
製本所　錦明印刷
ＤＴＰ　ナショナル製本
三協美術

ISBN 978-4-584-12607-3　C0230
定価はカバーに表示してあります。